일러두기

소설 속에 나오는 1938년의 화폐가치는 2020년 기준으로 환산했을 때 1원이 10,565원으로 추정됩니다. 한국은행 경제통계시스템을 참고한 것으로 소득 수준에 따른 체감 가치는 그보다 10배가량 높다고 볼 수 있습니다.

— 1938 경성 미스터리 추리극 —

황금열광

· 하은경 장편소설 ·

🐉 비룡소

= 차례 =

희미한 발소리가 들렸다. 뒤에서 흘러나오는 기척에 그는 멈춰 서서 주위를 살폈다. 고양이 한 마리가 등을 구부린 채 담벼락 위를 걸어갔다. 골목길은 적막하기 그지없었다. 수명을 다한 가로등 불빛이 일정한 간격을 두고 깜박거릴 뿐이었다. 그러나 틀림없이 누군가 뒤를 쫓고 있었다. 벌써 몇 번이나 쫓기었던 터라 본능적으로 자신을 따르는 그림자를 느꼈다.

　'미치겠군!'

　그는 구둣발로 땅바닥을 세게 걷어찼다. 그렇지만 다른 방법이 없었다. 이럴 땐 그저 사람들이 붐비는 곳으로 재빨리 스며드는 것밖에는.

그런데 어쩐 일인지 오늘 밤에는 예감이 좋지 않았다. 그는 한 순간, 검은 그림자한테 덜컥 덜미를 잡힐 것 같은 기분에 사로잡혔다. 그런 생각이 들자 심장이 오그라드는 것 같았다.

　저만치 떨어진 곳에 종로통 네거리 전차 정류장이 내다보였다. 숨을 크게 내쉬고 난 뒤 발걸음을 재촉했다. 사람들로 붐비는 전차 정류장 앞에서도 마음이 놓이지 않았다. 비로소 고개를 돌려 사람들을 살폈다. 남대문행 전차를 기다리는 사람들이 발을 동동 구르며 도로에서 북적댔다. 십 분쯤 지나자 땡땡 소리를 내며 전차가 달려왔다. 도로에 서 있던 사람들이 우르르 전차 앞으로 다가설 무렵이었다. 어쩐지 뒤통수를 잡아당기는 것 같은 기운에 이끌려 얼른 뒤를 돌아보았다.

　모자를 쓴 여자가 서 있었다. 여자는 사람들 무리에서 한 보쯤 떨어진 곳에 서서 그를 응시했다. 설마 저 여자가! 그는 곧 사람들 물살에 이리저리 쏠리면서 전차에 올라탔다. 그 와중에도 고개를 돌려 필사적으로 여자를 찾았다. 여자 또한 긴 목을 빼고 사방을 두리번거렸다. 챙이 넓은 모자 때문에 얼굴은 거의 보이지 않았다. 그러나 여자는 분명히 누군가를 찾았고, 그 누군가는 자신일 거라고, 그는 확신했다.

황금정을 지나 명치정◆에 이르자 전차 안이 한산했다. 그는 여자가 서 있는 곳을 힐긋 보았다. 여자는 차장 자리 쪽 구석진 곳에 서서 밖을 내다보고 있었다. 아무래도 모자는 얼굴을 가리기 위한 소도구인 듯싶었다. 몇 번이나 살펴봐도 여자의 표정을 읽어 낼 수가 없었다. 그는 문득 불쾌한 기분이 들어 눈살을 찌푸렸다. 저 여자 때문에 내려야 할 곳을 진작에 지나친 탓이었다. 젠장! 욕설이 튀어나오려는 걸 가까스로 참아 내며 그는 어깨를 오그린 채 여전히 여자를 곁눈질했다.

전차가 몸체를 틀며 남대문 옆을 지나갈 때였다. 그와 중년 남자를 사이에 두고 서 있던 여자가 미끄러지듯 몇 발짝 움직였다. 그러고는 놀랍게도 그의 곁으로 바짝 다가와 말을 걸었다.

"부탁할 게 있어."

여자는 뜻밖에도 낮은 목소리로 부드럽게 속삭였다. 그는 휘둥그레진 눈으로 모자에 가린 여자의 얼굴을 뚫어지게 보았다. 망치로 머리를 한 대 얻어맞은 것처럼 어안이 벙벙했다. 목소리의 주인을 알고 있었다. 목소리의 주인은…… 그러니까 여자는……. 하마터면 그는 전차 안에서 소리를 지를 뻔했다. 여자가

◆ 황금정과 명치정은 각각 지금의 을지로와 명동이다.

가늘고 기다란 손가락을 입술에 갖다 대지 않았다면, 아마 그러고도 남았을 것이다. 모자 때문에 얼굴이 보이지 않았으나 여자는 틀림없이 눈을 동그랗게 뜨고 나무라는 표정을 지었을 것이다. 그는 저절로 몸이 움츠러들었다. 여자가 그런 표정을 지을 때면, 언제나 잘못을 저지른 어린아이마냥 몸이 움츠러들었다.

경성역에서 내린 여자는 불빛 환한 거리를 얼마쯤 걷다 골목 길로 들어섰다. 그도 말없이 여자 뒤를 따라 걸었다. 여자는 이따금 멈춰 선 채 뒤돌아 그를 바라보았다. 그때마다 그도 멈춰 서서 여자를 보았다. 여자는 무릎을 덮는 감색 외투를 입었다. 굽이 높은 구두를 신은 탓인지 안 그래도 큰 키가 더욱 껑충했다. 야윈 몸은 그사이 더 말라 외투 아래로 드러난 종아리가 애처로울 정도로 가늘었다.

여자는 이제 뒤돌아보는 것도 없이 걸어갔다. 발놀림이 어찌나 빠른지 그는 얼마 걷지도 못하고 숨을 헉헉댔다.

어두운 골목길을 한참 걸은 뒤 여자는 건물 앞에서 멈춰 섰다. 일본식으로 지어진 2층 상가였다. 그는 여자 뒤로 건물 중간쯤에 내걸린 간판을 올려다보았다. 평화여관. 어리둥절한 그의 얼굴을 바라보면서 여자는 천천히 모자를 벗었다. 그를 향해 환하게 웃으며 가까이 다가오라고 손짓했다.

그러나 그는 붙박인 듯 서서 여자의 얼굴을 뚫어지게 바라볼 뿐이었다. 조도가 낮은 간판 불빛 탓일까. 얼굴에 드리워진 그늘이 여자를 나이 들어 보이게 했다. 미간에 잡힌 주름은 각인처럼 고뇌의 흔적을 남겼다. 그러나 여자의 눈을 마주 보는 순간, 그는 차츰 마음이 편안해졌다. 영롱하게 빛나는 눈빛만은 여전해서 초췌한 여자의 얼굴에서 생기를 느끼게 했기 때문이다.

　그동안 여자에게 커다란 변화가 있었던 게 분명했다. 그렇지 않고는 얼굴에 나타난 변화를 설명할 도리가 없었다. 오그라들어 꿈쩍도 하지 않던 심장이 요란하게 뛰기 시작했다. 마침내 그는 여자를 향해 한 발짝을 뗐다.

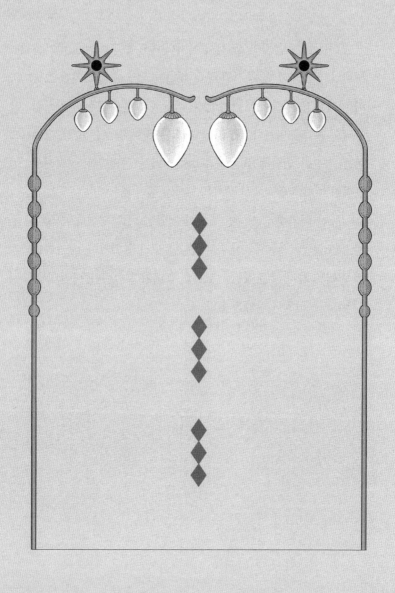

1부

수요일 밤

조선취인소◆ 출입구를 나오자 그를 향해 사람들이 우르르 몰려들었다. 카메라 불빛이 펑펑 터지면서 기자들이 정신없이 질문을 퍼부어 댔다.

"채동재 군이죠? 이번에 동신주 주식을 매수해서 대박이 나셨는데, 남다른 비책이 있었습니까?"

《매일신보》기자라고 밝힌 이가 동재에게 물었다.

"남다른 비책이야, 그저 밤낮없이 주식에 관련된 책을 읽으면서 주식시장을 하루도 빠지지 않고 나와 연구했습죠."

....

◆ 우리나라 최초의 증권 거래소

동재의 대답에 이번에는 《동아일보》 기자라는 이가 질문을 던졌다.

"지난 소련군과 일본군의 충돌로 대부분 주가가 폭락할 거라 예상했는데, 오히려 동재 군은 남들과 달리 주식을 많이 샀습니다. 이런 국제 정세에 대한 식견도 연구한 결과였습니까?"

"헤헤, 그거야 명치정, 본정, 황금정 거리를 하는 일 없이 걷다 보면 알 수 있습죠. 잘 차려입고 다니는 사람들을 보면서 전쟁은 금방 끝날 거라 확신했습니다요. 일본이 중국하고 전쟁을 치르는 중에 뭐 하러 또 싸우겠습니까요? 하여 주가가 바닥을 칠 때, 제가 좀 무리해서 주식을 사들였습죠. 한마디로, 요 직감이란 것이 딱 맞아떨어진 셈이죠."

여기저기서 탄성이 나왔다. 동재는 우쭐해서 자기도 모르게 목에 힘이 들어갔다.

"대단한 식견이십니다. 열일곱 살이라 하셨는데, 앞으로 그 많은 돈을 어떻게 쓰실 생각입니까?"

기자의 질문에 둘러선 사람들이 눈빛을 반짝이며 동재의 입을 바라보았다. 대답을 미루고 동재는 잠시 명치정 거리를 내다보았다. 잘 닦인 거리에 높다란 빌딩들이 죽 늘어서 있었다. 그 거리를 반지르르하게 차려입은 멋쟁이들이 끊임없이 지나다녔다.

별천지 같은 거리를 홀린 듯 보고 있으니, 지난 몇 년 동안 벼르고 벼르던 일들이 떠올랐다. 동재는 마른침을 꿀꺽 삼키고 나서 말했다.

"에, 우선 명치정에다 높은 빌딩을 짓고, 백화점에 가서 양복하고 구두를 왕창 산 다음에, 자동차를 세단으로 뽑아서는 잘빠진 여자하고 뻥 뚫린 도로를 쭉 달려 볼랍니다."

"네에?"

사람들은 경악을 금치 못했다. 단번에 기대를 허물어뜨리는 대답에 입을 쩍 벌리며 물 찬 제비같이 생긴 청년을 바라보았다. 도무지 기사로 쓸 수 없는 말이었다. 아니, 저런 파렴치한 소리는 절대 기사로 써서는 안 된다.

"저게 완전 쌩 날라리군!"

수군대는 소리를 뒤로하고 동재는 앞으로 걸어갔다. 뒤통수를 찌르는 시선이 느껴졌지만 신경 쓰지 않았다. '그래, 콕콕 찔러 봐라. 그래 봤자 당신네들 눈만 시리겠지.' 동재는 기분이 좋아 날아갈 것 같았다. 드디어 바라고 바라던 부자가 된 것이다. 그것도 조선 팔도에 널린 고만고만한 부자가 아니었다. 이를테면 그는 조선에서 다섯 손가락 안에 꼽히는 거부였다. 사람이 보이지 않는 골목길에 이르자 동재는 이 황홀한 기분을 홀로 맘껏 누렸다. 그러다 보니 평소 비웃던 졸부들이 위대해 보이기까지 했다. 어울리지도 않게 양복을 빼입고 거리를 활보하는 졸부들이야말로 이 세상에서 가장 복 터진 인간들이었다. 이 짜릿함은 아무나 느끼는 게 아니었다. 하루아침에 벼락부자가 된 졸부만이 누릴 수 있는 특권이었다. 그리고 곧 그 대열에 끼게 될 생각을 하니 꿈만 같이 황홀했다.

"채동재, 넌 부자다, 부자! 으하하하……."

폴짝 뛰어오르며 허공을 향해 주먹을 휘두를 때였다. 느닷없이 돌멩이가 날아오더니 연달아 뒤통수를 때렸다. 동재는 머리를 감싸 쥐며 주위를 노려보았다. 한껏 들뜨던 기분이 삽시간에 사라지고 불덩이 같은 화가 솟구쳤다. 이건 조선 최고 거부에 대한 엄청난 모독이자 범죄였다. 놈을 잡기만 하면 목이라도 비틀어 놓을 것처럼 사납게 눈알을 부라렸다.

"누가 감히 조선 갑부 채동재의 뒤통수를 때려!"

동재는 고래고래 소리 지르며 벌떡 일어나 앉았다. 혼이 나간 듯 흐릿한 눈으로 주위를 둘러보았다.

"누구긴 누구여!"

아뿔싸! 방문 앞에는 주인 영감이 턱 버티고 서 있었다. 예순 줄에 접어든 김 노인은 어이가 없어 혀를 끌끌 찼다. 동재는 이

현실이 도무지 믿기지 않았다. 달콤한 몽상의 끄나풀을 놓치지 않으려는 듯 허둥지둥 주위를 살폈다. 그러나 머리맡에 떨어진 호두알 두 개를 발견한 순간, 모든 게 물거품과 같은 꿈이었다는 사실을 알아차렸다. 맥이 탁 풀리는 것과 동시에 김 노인을 향해 부아가 치밀었다.

'어휴, 저 망할 영감쟁이를 그냥!'

동재는 어금니를 질끈 깨물었다. 할 수만 있다면 주인 영감 콧대를 확 비틀어 버리고 싶었다.

"새파랗게 젊은 놈이 꼬락서니하고는……. 이놈아, 해가 머리 꼭대기에 떠오를 때까지 잠만 잘 테냐!"

김 노인의 한결같은 악다구니를 흘려들으며 동재는 밖을 내다보았다. 좁은 마당은 볼썽사납게 시멘트 바닥이 쩍쩍 갈라져 있었다. 그 마당을 가운데 두고 벌집처럼 붙어 있는 방들이 눈에 들어왔다. 작은 방 한 칸에 으레 대여섯 명이나 되는 식구들이 살을 비집고 살았다. 또 네 가구가 공동으로 쓰는 뒷간은 언제나 문이 열려 있어 구린내를 풍겼다. 주인장 김 노인의 안채라고 해봐야 조금도 나을 게 없었다. 대청마루 바닥은 언제 적 것인지 틈 사이마다 시퍼런 곰팡이가 피었고, 몇 해가 지나도록 갈지 않은 창호지 문은 때에 절어 아예 잿빛을 띠었다. 그 모든 광경을 가만히 보고 있던 동재는 낯빛이 우울해졌다. 하루아침에 알거지가 돼 버린 것마냥 허탈하기 짝이 없었다.

"이놈아, 얼른 밀린 방세나 내놔!"

서글픈 동재에게 김 노인은 속도 없이 자꾸 악다구니를 내질렀다.

"석 달 치가 밀렸으니까, 육 삼은 십팔이라…… 옳거니, 십팔 원이구먼."

"아 진짜, 누나한테 말하라고요!"

동재는 짜증이 치밀었다. 골이 깊게 파인 김 노인의 주름투성이 얼굴을 쳐다보며 버럭 소리를 질렀다.

"이런 버르장머리 없는 놈 같으니라구!"

김 노인이 남은 호두알 하나를 냉큼 내던졌다. 딱. 호두알이 정확하게 동재의 이마에 맞았다. 앓는 소리를 내는 동재에게 김 노인이 단단히 일렀다.

"사흘이여. 딱 사흘만 기다릴 테니 그리 알어!"

김 노인은 헛기침을 하고 나서 절뚝거리며 마당으로 걸어갔다. 동재는 이마를 문지르며 지팡이를 짚고 걸어가는 김 노인의 뒷모습을 흘겨보았다.

'어휴, 저 영감쟁이 뒤태 한번 볼만하네!'

발을 뗄 때마다 엉덩이를 비죽 내미는 꼴이 그야말로 가관이었다. 그렇지만 김 노인이 원래부터 절름발이는 아니었다. 두어 달 전 봉변을 당한 뒤 한쪽 다리를 절게 되었다.

김 노인이 동대문으로 방세를 받으러 가는 길이었다. 그때 종로통을 주름잡는 배두식 패거리한테 협박을 당했는데, 재수 없게도 한 녀석이 위협하며 들이민 칼에 발버둥 치다 무릎을 깊게 찔리고 말았다. 배두식은 종로통 장사치들을 상대로 고리대금업을 하는 깡패 두목이었다. 때문에 패거리를 시켜 경성 알부자로 소문난 김 노인한테 돈줄을 대라고 번번이 협박했다. 그런데 어쩐 일인지, 졸지에 다리 병신이 되고도 김 노인은 배두식 패거리를 경찰에 신고하지 않았다. 주변 사람들 말에 따르면, 영악한 김 노인이 따로 생각해 둔 게 있다고 했다.

"보나 마나 합의금 운운하며 돈을 뜯어냈겠지 뭐! 아무튼 돈에 환장한 영감쟁이라니깐!"

내뱉고 나자 동재는 불쑥 화가 치밀었다. 그때 김 노인을 발견한 건 동재였다. 골목길에 쓰러져 있는 김 노인을 보고 가슴이 덜컥 내려앉았다. 다리를 크게 다쳤는지 피까지 철철 흘렸다. 동재는 다짜고짜 김 노인을 들쳐 업고 세브란스 병원으로 달려갔다. 전차를 기다릴 새도 없었다. 무작정 업고 달리는 게 가장 빠를 것 같다는 생각이 들어서였다.

그런데 죽을 등 살 등 해서 살려 놨더니, 김 노인은 은혜도 모르고 되레 큰소리만 쳤다.

"야 이눔아, 그렇게 달려가다 내가 죽기라도 했으면 어떡할 참이었냐? 전차나 다꾸시를 탔어야지!"

그러고는 들고 있는 지팡이로 머리통을 딱 내리쳤다. 그래도 고마운 마음이 털끝만큼은 있었는지, 다음 날 방문을 벌컥 열고 무언가를 휙 내던졌다. 노인네 낯짝만큼이나 쭈글쭈글한 곶감 세 개였다.

"어휴, 내 머리가 어떻게 됐지! 저 쇳덩어리 같은 영감쟁이를 업고 세브란스가 어디라고 뛰어!"

밖으로 나가는 김 노인을 보며 동재는 주먹을 휘둘렀다. 구두쇠에다 은혜도 모르는 파렴치한이었다. 꼬락서니는 또 어떻고! 동재는 고개를 절레절레 흔들었다. 그 많은 돈을 가지고 있으면서도 차림새는 광통교 거지 왕초보다 형편없었다.

"노다지 금광을 캐면 뭐 해! 나 같으면 당장에 세단으로 자동차를 뽑아서는……."

그러자 다시금 꿈의 장면들이 생생하게 떠올랐다. 주식이 대박 나서 조선 최고의 갑부가 되는 꿈은 정말이지 입 안에 침이

고일 정도로 달콤했다. 동재는 방 안을 휘둘러보다 아쉬운 듯 입맛을 쩝 다셨다. 벽에 걸린 시계를 올려다보더니 뭔가 생각난 듯 자리를 털고 일어났다.

"서둘러야겠군!"

정란이 사다 걸어 놓은 시계가 12시 반을 가리키고 있었다.

동재는 파자마 바람으로 마당으로 나와 세수를 했다. 명치정으로 나갈 참이었다. 제법 긴 앞 머리카락을 공들여 빗질하고 나서 옷걸이에서 셔츠를 하나하나 꺼내 입기 시작했다. 하늘빛, 연둣빛 셔츠를 차례로 입어 보다가 마음에 들지 않아 벗어 던졌다. 줄무늬 셔츠에 검은색 외투를 걸쳐 입고 그제야 흡족하게 거울 앞에서 벗어났다. 갈수록 옷차림이 신경 쓰였다. 제아무리 광을 내고 나가도 명치정 멋쟁이들만 보면 늘 기가 죽기 때문이었다.

"그래 봤자 한 방이야. 한 방이면 끝이라고!"

버릇처럼 중얼거리자 다시금 기분이 들떴다. 활짝 열린 대문을 나선 뒤 동재는 가벼운 발걸음으로 길을 걸어갔다.

2

　전차에서 내린 동재는 명치정 거리로 걸어갔다. 늦더위가 기승을 부렸다. 한껏 멋을 낸 여자들이 거리를 활보하고 다녔다. 발목 위까지 올라오는 얇은 양말에 무릎을 살짝 덮은 통치마가 대세였다. 개중에는 가을 티를 내려는 듯 스카프를 두른 이들도 있었다. 동재는 여자들의 뒷모습을 힐긋대며 조선취인소 앞에 다다랐다.

　오후 햇살을 받은 3층 건물 표면이 검푸른 빛 물고기의 비늘처럼 반질거렸다. 벽돌을 섞어 지은 석조 건물은 앞면에 돔을 얹어 꽤 웅장했다. 거대한 항공모함 같은 건물을 위아래로 훑어보며 동재는 다시금 횡재의 꿈을 다졌다.

"한 방이야. 한 방이면 내 인생도 세단이라고, 세단!"

명치정 어느 건물 한 채가 제 것이라도 된 듯 가슴이 뛰었다. 정말로 주식이 대박 나서 명치정에 건물을 산 이를 보았다. 벼락부자가 된 그자가 거리를 당당하게 걸어가는 모습을 아직도 생생하게 기억하고 있었다. 동재도 맨날 잃기만 한 건 아니었다. 한동안 누나 정란에게 손 내밀지 않아도 될 만큼의 용돈을 벌었다. 뿌린 액수가 적으니 거둔 것도 적을 수밖에 없었다. 하지만 공짜로 들어온 그 쏠쏠한 돈맛을 잊을 수가 없었다. 목돈이 생긴다면 당장이라도 주식에 투자할 생각이었다. 가만 보니 하루아침에 부자가 되는 건 아무나 할 수 있는 거였다. 운만 따라 준다면, 동재도 머지않아 큰 부자가 될 거라고 확신했다.

동재는 건물 앞에 몰려 있는 사람들을 눈여겨보았다. 벌건 대낮부터 도박꾼들이 둘러서서 도박판을 벌이고 있었다. 일이 백 원이나 하는 주식을 살 수 없는 가난한 투기꾼들이었다. 한 판에 십 원, 많게는 백 원을 내건 채 주식 등락을 놓고 도박판을 벌이는 참이었다. 모두들 도박판에서 한몫 잡으면 주식을 왕창 사서 대박 날 꿈을 꾸었다. 요 며칠 경찰 단속이 느슨해지자, 도박꾼들이 몇 배로 늘어나 족히 백여 명은 돼 보였다.

"어이, 양영달."

동재는 도박판으로 걸어가 한창 도박에 빠져 있는 영달을 불렀다. 지난번에 빈털터리가 돼 놓고도 녀석은 물불 가리지 않고 판돈을 세게 불렀다. 모아 둔 카페보이♦ 월급 일 년 치를 단숨에 날렸으니 또 빚을 낼 게 뻔했다. 그런데 어디서 자꾸 빚을 내는지 녀석은 하루도 빠지지 않고 나와 도박을 했다. 영달은 동재를 보더니 그대로 판에 몰두했다.

"자식, 열 내기는……."

동재는 어슬렁거리다 대여섯 명이 몰려 있는 판으로 끼어들었다.

"내 동신주가 오른다를 놓고 십 원 걸겠소."

술에 절어 코끝이 벌건 중년 남자가 십 원짜리 지폐를 들어 보이며 말했다.

"에이, 십 원이 뭐예요! 고까짓 것 걸어 가지고 맛이 나겠어요!"

젊은 치는 꽤나 자신만만한지 단번에 내린다에 판돈 백 원을 걸었다. 그의 기세에 휘둘려 나머지 사람들도 줄줄이 내린다에 판돈 백 원씩을 걸었다.

♦ 카페 남자 점원

동재는 마른침을 꿀꺽 삼켰다. 생각보다 판돈이 어마어마하게 컸다. 백 원이면 김 노인의 지긋지긋한 악다구니를 듣지 않고도 일이 년 치 방세를 낼 수 있는 돈이었다. 다행히 운이 좋아 동신 주가 오른다면, 몇 백 원이 아니라 몇 만 원이라도 벌 수 있을 것이다. 하지만 주식이 내린다면, 그야말로 빚더미에 오르게 될 터였다. 그런 생각이 들자 덜컥 겁이 났다. 현실은 결코 꿈이 아니었다. 동신주가 오를지 내릴지, 도대체 누가 알겠는가 말이다.

"에고, 난 빠질랍니다요."

생각할 것도 없이 동재는 슬그머니 꽁지를 내렸다. 어느 결에 왔는지, 영달이 동재를 보고 씩 웃었다.

"간이 그리 콩알만 해서 어떻게 큰돈을 벌겠냐?"

일 년 치 월급을 고스란히 날린 주제에 영달은 거드름을 피웠다. 동재는 어이없는 얼굴로 영달을 보았다. 그런데 녀석이 뭘 잘못 먹었나. 별안간 녀석의 눈동자가 크게 벌어지더니 낯빛이 파리해졌다. 입술까지 바르르 떨면서 기어 들어가는 목소리로 말했다.

"저, 저자가 바로 김금만이야. 뻘건 셔츠 입은 저 남자……."

동재는 영달이 가리키는 곳을 보았다. 김금만? 어디서 들어 보긴 했으나 누군지 떠오르지 않았다. 깡마른 몸에 눈매가 날카롭게 생긴 청년이었다. 윤이 나는 붉은 와인 빛 셔츠를 입었는데, 분위기가 여느 건달 놈 같지 않았다. 열여덟이나 아홉쯤 먹었을까. 날카롭게 빛나는 눈빛 탓인지 금만은 한눈에도 무척 영리해 보였다.

"옳아, 저자가 바로 김금만이구먼."

그제야 동재는 그가 누구인지 알아차렸다. 영달이 입에 가끔 오르내리던 건달 김금만이었다. 김금만은 종로통 건달패 두목 배두식의 오른팔이자 행동대원이었다. 경성고보를 중퇴하고 배두식 밑으로 들어가 깡패가 되었다 들었다. 그런데 경성고보는 아무나 들어가는 고등보통학교가 아니었다. 경성제국대학을 목표로 둔 인재들이 다니는 학교였다. 금만이 어떤 사연으로 고보를 그만두고 깡패가 됐는지는 알려지지 않았다. 동재는 보나마나 뻔한 사연일 거라고 추측했다. 도무지 헤어날 길 없는 가난에서 벗어나려고 탈선의 길을 선택했을 것이다. 한마디로 돈에 아주 환장한 녀석이 분명했다. 바로 동재 자신처럼 말이다.

그런데 금만은 머리 좋고 배포가 큰 녀석인 것만은 틀림없었다. 종로통 장사치들을 상대로 고리를 뜯어내는 일을 체계적인 사업으로 구상하는 중이라 했다. 또 극단이나 음반 시장에도 서서히 세력을 뻗치고 있다는 소문이 돌았다.

그런데 신기하게도 깡패 두목 배두식을 직접 봤다는 사람은 없었다. 그가 종로통을 휘어잡는 깡패 두목이 되기까지 전설과도 같은 일화들이 떠돌았다. 그렇듯 위세가 하늘을 찌를 듯 높았으나 배두식은 철저하게 베일에 싸여 얼굴을 드러내지 않은 채 김금만을 후계자로 지목했다. 경성고보 중퇴라는 간판을 배두식이 꽤나 흐뭇하게 생각했다고 한다. 아직 십 대에 불과한 금만을 후계자로 지목할 정도였으니, 그를 각별하게 생각한 것만은 틀림없었다.

"야, 말도 마라. 요즘엔 저자가 이틀이 멀다 하고 우리 카페에 들락거린다. 패거리가 몰려와 술 마시는 걸 보면 장난이 아니야. 삐루♦를 상자째 놓고 들이퍼붓는다니깐!"

영달은 꽁무니를 빼면서 뒷걸음질 쳤다. 그 모습이 꼭 빚쟁이한테 쫓기는 채무자 같았다.

"한데, 저자가 왜 잔챙이들이나 하는 도박판을 기웃거리는 거냐?"

동재가 의아해서 물었다.

"뭐, 도박 중독증이겠지. 아마 판돈으로 일이만 원이 오갈걸.

♦ 맥주

일이만 원이면 마당 넓은 문화주택 한두 채를 살 가격이라고."

"일이만 원이라……."

동재는 그 어마어마한 판돈에 기가 질리는 기분이 들었다. 그러면서도 은근히 구미가 당겼다. 다시금 김금만을 보았다. 희한하게도 김금만은 여느 도박꾼들과 달리 느긋해 보였다. 도박판에 열을 올리기는커녕 뭔가 다른 꿍꿍이가 있는 듯 자꾸 주위를 둘러보곤 했다.

동재가 중얼거렸다.

"제아무리 경성고보를 다녔으면 뭐하냐. 어차피 깡패 주제에……."

석양이 질 무렵, 동재와 영달은 발걸음을 돌려 명치정 상점 거리를 걸었다. 날이 어두워지자 짙게 화장을 하고 나온 여자들이 사람들로 북적이는 거리를 활보하고 다녔다. 동재의 눈에는 한껏 치장하고 나와서 경성 어느 갑부 놈 하나를 물려는 것으로 보였다. 휘릭. 동재는 자기 또래쯤으로 보이는 여자를 향해 휘파람을 불었다. 여자가 멈춰 서더니 동재를 향해 눈을 흘겼다.

"어이, 아가씨, 이쁜데! 코피나 한잔할까?"

동재가 수작을 걸자 여자는 얼굴을 찌푸리며 재빨리 걸어갔다. 그 모양이 재미나다는 듯 영달이 불량스럽게 낄낄거렸다.

"참, 언제 유미코 좀 정식으로 소개시켜 주라."

동재는 고만고만한 여자들을 보자 유미코가 떠올랐다. 유미코
는 영달이 일하는 카페의 점원이었다. 영달이 낄낄거리다 말고
대뜸 정색을 했다.

"야, 일찌감치 꿈 깨. 걔, 김금만이가 벌써 찍었어."

"뭐, 그 새끼가!"

"한데 말도 마라. 고 계집애, 김금만이가 하루가 멀다 하고 선
물을 갖다 바쳐도 본 체도 안 하더라. 김금만이가 깡패이긴 해도
경성고보를 다녔던 놈이잖냐. 인물도 훤하고. 근데 고 계집애, 콧
대가 얼마나 높은지……."

동재는 저도 모르게 웃음이 나왔다. 그러면 그렇지! 김금만 같
은 날건달한테 홀딱 넘어갈 유미코가 아니었다. 동재는 새초롬
한 유미코의 얼굴이 몹시 보고 싶었다. 배짱도 두둑해서 거칠기
짝이 없는 손님들과 대거리하는 걸 보면, 기가 차다가도 마냥 마
음이 끌렸다.

"길바닥 한번 삐까번쩍하다!"

동재는 기분이 들떠 거리를 향해 냅다 소리를 질렀다. 옆에서
영달이 미친놈 어쩌고 하는 소리가 들렸지만 대꾸하지 않았다.
매끈한 건물 벽에 기대앉아 대낮처럼 환한 거리를 한참 바라보

았다. 역시 학교를 때려치우길 잘했다는 생각이 들었다. 이렇게 죽치고 앉아 노는 게 재미있었다. 거리 구석구석에는 놀거리며 볼거리가 많아 심심할 새가 없었다. 게다가 젊은 사람들 천지인 이 거리에 서면 저절로 생기가 돌았다.

사실 애초부터 동재는 공부에 별 취미가 없었다. 집안 사정이라도 넉넉하면 그럭저럭 놀면서 보낼 수도 있었을 것이다. 그렇지만 살림이 기울어 비싼 학비를 낼 형편이 아니었다. 어머니는 진작에 돌아가시고, 석유공장에서 감독을 하던 아버지가 병을 앓다 돌아가신 뒤에는 살림살이가 말이 아니었다. 병원비를 대느라 청진정 집까지 다 날리고 말았으니까. 누나가 백화점 점원으로 일하고 있으나, 아버지 병원비로 진 빚을 여태 갚느라 사실은 먹고살기에도 빠듯했다.

주식에 빠진 뒤 동재는 중퇴한 고보에 새털만큼 남아 있던 미련마저 싹 가셨다. 고보를 졸업한다고 해도 기껏 월급쟁이 신세였다. 제아무리 잘나가는 월급쟁이라 해도 요즘 같으면 경성에 집 한 채 사기 어려운 실정이었다. 몇 년 새 경성 집값과 월세가 폭등했다. 기를 쓰며 돈을 모은다 해도 기약 없이 남의 집 살이를 해야 할 판이었다. 아무렴! 그 월급 가지고는 어림도 없었다. 구질구질한 이 생활에서 벗어나려면 주식밖에 없었다. 동재에게 한 방의 꿈은 역시 주식이었다.

동재는 언젠가는 멋들어지게 쭉 뻗어 나가는 인생을 살 작정이었다. 마당 넓은 문화주택에 8기통 엔진이 달린 세단을 타고 인생을 즐길 생각이었다. 그렇다면 일단 도박판을 크게 벌려야 할 텐데, 문제는 돈이 없다는 거였다. 생각이 거기에 미치자 퍼뜩 정란이 떠올랐다. 집세도 밀려 가며 월급을 어디다 감춰 두는지, 도대체 알 수가 없었다. 잘나가는 백화점 여점원답게 단장이야 하지만, 웬일로 요즘엔 수수한 차림을 하고 다녔다. 게다가 그놈이 사 준 화장품이며 옷가지들이 수두룩하니 뭘 사 들고 오지도 않았다. 그렇다면 월급을 고스란히 모아 두었다는 말인데…….

동재는 마음이 바빠 자리를 털고 일어났다. 아무래도 오늘은 누나를 만나 담판을 지을 작정이었다.

"어이, 심심하면 오늘 밤에 또 보자고."

동재가 획 돌아서며 한 팔을 치켜들고 말했다. 영달은 별 싱거운 놈 다 있네, 중얼거리더니 자리에서 천천히 일어섰다. 동재는 미쓰코시백화점이 있는 서편으로, 영달은 반대편 카페 거리를 향해 걸어갔다.

경성우편국을 뒤로한 채 동재는 맞은편 5층 건물을 올려다보왔다. 미쓰코시백화점이었다. 부채꼴로 펼쳐진 앞면에 출입구를 화강암으로 장식한 외관이 눈부실 정도로 근사했다.

'누나가 저곳에서 일한단 말이지……'

동재는 우쭐한 기분이 들었다. 그 사이에도 백화점 안으로 사람들이 끊임없이 드나들었다. 저녁 7시 무렵이었다. 광장을 가로질러 동재도 미쓰코시백화점 안으로 들어갔다.

잘 차려입은 사람들이 백화점 가방을 양손에 들고 매장을 기웃거렸다. 동재는 높다란 천장을 올려다보았다. 전등 불빛이 한낮 태양처럼 따갑게 두 눈을 쏘아 댔다. 양장을 차려입은 여점원들이 동재에게 허리를 구십 도로 꺾으며 인사를 했다. 그때마다 동재는 멋쩍어 얼굴이 화끈 달아올랐다. 이놈의 백화점이란 데는 늘 사람을 주눅 들게 만드는 곳이었다. 동재는 얼음판처럼 미끄러운 대리석 바닥을 걸어가며 줄곧 기가 죽었다.

승강기를 타고 3층 신사부에서 내리자, 세 번째 매장에 서 있는 정란이 보였다. 동재와 눈이 마주치는 순간이었다. 정란은 습관적으로 짓던 미소를 싹 거두고 큰 눈을 치떴다.

"웬일이니?"

매장 안을 기웃대던 손님들이 지나가기 무섭게 정란이 쏘아붙였다.

"거 동생보고 하는 소리 한번 야박하네그려."

동재는 아무렇지도 않은 척 건들거렸다. 하지만 켕기는 구석
이 있어 정란의 눈치를 살폈다. 귀밑에서 달랑거리는 단발머리
가 윤기 하나 없이 푸석했다. 하루 종일 서서 일하느라 종아리에
계란 같은 근육이 뭉쳤다. 스물한 살, 활짝 피어야 할 얼굴은 피
로가 더께처럼 달라붙어 초췌하기 짝이 없었다. 동재는 문득 일
말의 양심의 가책을 느꼈다. 그렇다고 그냥 돌아갈 마음이 든 건
결코 아니었다. 어쨌든 이번에는 돈을 좀 뜯어낼 생각이었다. 판
돈이 커지는 바람에 요 며칠 도박판에 끼지 못했더니 손가락이
근질거릴 지경이었다.

"저, 저기 누나⋯⋯."

동재가 막 이야기를 꺼내려는 참이었다.

"됐거든! 일 없으면 얼른 집에나 들어가 있어. 난 폐점 시간까
지 매상을 더 올려야 한다고. 흠, 누가 네 속을 모를 줄 알고!"

쌀쌀맞기가 한겨울 찬바람같이 매서웠다. 동재는 은근슬쩍 부
아가 났다. 화를 참느라 어금니를 질끈 깨물었으나 아쉬운 쪽은
역시 자신이었다.

"누나, 그러지 말고 돈 좀 꿔 줘. 내 금방 돈 벌어서 배로 갚아
줄게."

동재의 말에 정란은 단박에 눈알을 부라렸다. 그러고는 어떻게 한 번에 그럴 수가 있는지, 주위를 살피며 눈웃음 짓고 입가에 미소를 띠는 것과 동시에 낮은 목소리로 윽박질렀다.

"흠, 네 녀석 하는 수작이 뻔하지! 내 너한테 돈을 빌려주느니 성을 바꾸고 말 테야!"

그러더니 지나가는 손님을 향해 허리를 깊게 숙이며 오래도록 인사를 했다.

"나 참, 치사해서! 공짜로 달라는 것도 아니고, 이자를 삼 할로 쳐서 갚아 준다니깐!"

정란은 더 이상 대꾸하지 않았다. 녀석이 돈을 뜯어 가 하는 짓이란 게 불 보듯 뻔했다. 이 핑계 저 핑계 대며 학교를 때려치우더니, 도박에 빠져 인생을 허비하고 있었다. 처음엔 안쓰러워 돈 몇 푼을 쥐어 주곤 했다. 그런데 가만 보니 그게 바로 녀석의 인생을 종칠 짓이었다. 이참에 독하게 마음먹지 않으면 녀석의 버릇을 고치지 못할 터였다. 도박이야말로 패가망신의 지름길이라고 하지 않았던가.

"그러지 말고, 내 어디 점원 자리 하나 알아봐 주련?"

정란이 부루퉁한 동재의 얼굴을 측은하게 바라보며 물었다.

"쳇! 일 없수다. 그깟 일해서 얼마나 번다고! 머지않아 대박이

터져 봐, 내 인생도 뻥 터져 경성 안에다 요런 빌딩을 짓고 말 테
지!"

동재는 바닥을 툭툭 걷어차며 오기를 부렸다.

"이런, 헛바람만 잔뜩 든 놈 같으니라고!"

정란은 동재의 뒤통수를 노려보며 작게 중얼거렸다. 어쩌다
저렇게 허황된 생각을 하는지 알 수가 없었다. 녀석은 구제 불능
이었다. 오늘 밤 녀석을 앉혀 놓고 단단히 이르고 싶은 마음이
굴뚝같았다. 차일피일 미루다 녀석이 정말 날건달이 될까 걱정
됐다. 이런저런 일들을 하고 다니는지라 녀석에게 마음을 쓰지
못했다. 그러나 오늘도 녀석과 마주 앉을 시간이 없었다. 오늘은
수요일이었다. 정란은 손목시계를 내려다보았다. 윤곽이 또렷한
얼굴에 잠시 긴장한 빛이 흘렀다. 이내 고개를 치켜들며 동재를
향해 말했다.

"오늘 늦을 거야."

동재는 몇 발짝 걸어가다 말고 뒤돌아 정란을 보았다.

"수요일이잖아."

아무렇지 않게 말하고 나서 정란은 정면을 바라보며 예의 그
미소를 지었다. 동재는 한숨을 내쉬고 나서 정란을 힐긋 보았다.
미소를 띠며 서 있는 정란의 모습이 진열창 안의 마네킹처럼 낯

설기 짝이 없었다.

백화점을 나온 뒤 동재는 또다시 거리를 걸었다. 시간은 넘쳐
나고 주머니 사정은 여의치 않은지라 걸어서 종로통으로 갈 생
각이었다.

황금정을 지나 종로통에 이르자 야시장이 한창이었다. 한밤
중, 물건을 사는 사람들로 야시장 바닥은 발 디딜 틈이 없었다.
동재는 어슬렁거리다 국수 한 그릇을 사 먹었다. 허기진 배도 채
우고 슬슬 거리를 걸어가는데, 저만치 떨어진 곳에서 얼음과자
를 파는 녀석이 보였다.

"아이스께끼……. 시원한 아이스께끼……."

열 살도 안 돼 보이는 녀석이 목청 좋게 외쳤다.

"야 야, 이리 와 봐."

남자아이가 어깨에 둘러멘 궤짝을 들썩거리며 한달음에 동재
에게 달려왔다. 남자아이는 몰골이 꾀죄죄했다. 빌어도 못 먹은
아이마냥 새까맣고 깡마른 얼굴에 두 눈만 부리부리했다.

"아이스께끼 하나 줘 봐."

동재는 궤짝에 든 얼음과자가 제 것인 듯 손바닥을 펼쳐 보였
다. 남자아이가 눈을 가느스름하게 뜨며 동재를 위아래로 훑어
보았다. 그러고는 궤짝을 등 뒤로 고쳐 메더니 딱 잘라 말했다.

"돈 먼저 줘요."

"뭐어!"

동재는 약이 올라 녀석의 뒤통수를 세게 후려쳤다.

"자식이 이 형님을 몰라보고 어디서 허튼 수작이야! 이 형님이
바로 종로통 두식이다, 배두식!"

남자아이는 금세 겁에 질린 얼굴로 몸을 움츠렸다. 벌벌 떨리
는 손으로 얼음과자 하나를 꺼내 내밀었다.

"자식, 진작에 그래야지. 그리고 말이야, 종로통에서 형님 허락
도 없이 장사하면서 넌 세금도 안 내나? 많이도 말고 오늘 치 딱
반만 내놔."

"예에?"

남자아이가 울상을 지었다. 그러나 번들거리는 동재의 눈을
보고는 하는 수 없이 지갑에서 동전을 꺼냈다.

"애걔, 겨우 요것?"

"오늘은 장사가 참말 안 됐어요……."

남자아이가 기어 들어가는 목소리로 겨우 말했다. 동재는 헛기
침을 하고 나서 동전을 받아 바지 주머니 안에 쑤셔 넣었다. 아이
의 뒤통수를 가볍게 후려치더니 그만 가 보라는 눈짓을 했다.

남자아이는 약이 올라 죽을 맛이었다. 멀찌감치 떨어진 곳에

서서 숨을 씩씩 몰아쉬었다. 그러고는 동재를 향해 구라파 놈인지 양키 놈인지가 한다는 욕지거리를 흉내 냈다. 가운뎃손가락을 빳빳이 치켜세운 채 남자아이가 중얼거렸다.

"좆까!"

동재는 얼음과자를 빨면서 느릿느릿 거리를 걸었다. 주머니에서 짤랑거리는 동전 소리가 몹시 거슬렸다.

"이거 모양 안 나는군."

투덜거리며 주위를 두리번거렸다. 집으로 들어갈 마음은 눈곱만큼도 없었다. 수요일 밤이니 누나는 또 꼭두새벽에나 들어올 것이다. 그 작자와 헤어진 뒤 누나는 댄스 구락부♦에서 춤을 추는 것 같았다. 조선 최고 무용수 최승희가 될 것도 아니면서 아주 푹 빠진 눈치였다. 동재는 그런 정란이 못마땅했다. 누나의 모습은 밤거리를 떠도는 여자들처럼, 때로는 몹시 위태로워 보이기까지 했다.

"젠장!"

정란을 생각하자 또다시 화가 치밀었다. 길바닥을 세게 걷어차고는 간판이 내걸린 상가로 걸어갔다. 경성 구락부. 입구에 들

♦ 구락부는 클럽의 일본식 음역어이다.

어서기도 전에 당구알이 맞부딪치는 소리가 새어 나왔다. 동재는 주머니에 든 동전을 만지작거리며 2층 출입구 계단을 올라갔다. 당구장 출입문을 열자 땀 냄새가 훅 끼쳐 들어왔다. 마주 보이는 곳에 걸린 벽시계가 정확히 밤 10시를 가리켰다.

3

　"여기는 관철정 우미관♦ 부근입니다. 극장 건너편 골목길에서 남자 사체가 발견됐으니 즉시 출동하십시오."

　밤 10시 무렵이었다. 관할 주재소 소장의 전화를 받은 종로경찰서는 순식간에 들썩거렸다. 요 며칠 연이어 야근하던 경찰들한테 또다시 불똥이 떨어진 것이다.

　강 형사는 사토 서장과 함께 우미관으로 향했다. 박 형사도 동행했으나 경찰차를 타고 가는 중에 누구도 입을 열지 않았다. 사토 서장은 좁은 차 안에서 연달아 담배를 피워 댔다. 종로경찰서

♦ 1910년 일본인이 세운 극장. 광복 때까지 일류 개봉 영화관으로 이름을 떨쳤다.

서장 사토는 지독한 골초였다. 니코틴이 낀 누런 이를 보면 한눈에도 애연가임을 알 수 있었다.

사토 서장은 얼굴을 잔뜩 찡그리며 차창 밖을 내다보았다. 강 형사는 그런 사토의 얼굴을 곁눈질했다. 서장은 미궁에 빠진 지난 사건 때문에 안 그래도 마음이 편치 않은 것이다. 다섯 달 전 동대문에서 부녀자가 살해되는 사건이 일어났다. 동대문경찰서뿐만 아니라 경성의 모든 경찰관들이 수사에 동원됐으나 아직 범인을 잡지 못했다. 범인은커녕 용의자도 발견하지 못해 숫제 손을 놓고 있는 실정이었다. 시간이 흐를수록 사건은 미궁에 빠졌고, 경찰의 무능을 질타하는 여론이 들끓었다. 세계 최고의 우수한 치안을 자랑하던 대일본제국 경찰의 얼굴에 완전히 침을 뱉는 사건이었다.

그 와중에 이번에는 종로통에서 또다시 살인 사건이 일어났다. 그것도 종로서를 코앞에 둔 관철정 극장 근처라고 했다. 때문에 종로경찰서 서장 사토는 가시방석에 앉은 것처럼 마음이 불편할 터였다.

현장에는 이미 선발대 경찰 스무 명이 출동해 있었다. 번화한 극장 근처라 구경꾼이 수십 명 가까이 몰려들었다. 제복 경찰들이 방어막을 둘러치고 구경꾼들을 통제했다.

경찰차에서 내린 강 형사와 박 형사는 사토 서장을 따라 현장으로 걸어갔다. 형사들이 플래시를 터뜨리며 사체 사진을 찍는 모습이 보였다. 감식반으로 보이는 이들도 먼저 와 사체를 확인하고 있었다.

"으음……."

사체를 보고 사토 서장은 옅은 신음을 냈다. 한 손으로 턱을 괴고 서서 묵묵히 사체를 살폈다. 강 형사가 그 옆으로 다가섰다. 순간적으로 그는 얼굴을 찌푸렸다. 사체 복부 가운데 칼이 깊숙이 찔려 있었다. 아랫도리로 흘러내린 피가 땅바닥에 흥건했다. 남자는 담벼락에 등을 기댄 채 고개를 한쪽으로 꺾고 쓰러져 있었다. 빛바랜 삼베 저고리에 역시 낡은 구두를 신었다. 사체에서 멀지 않은 곳에 지팡이 하나가 떨어져 있는 게 보였다. 죽은 남자의 것인 듯 보였다. 강 형사는 쭈그리고 앉아 사체의 얼굴과 눈높이를 맞췄다. 반쯤 벗겨진 다갈색 중절모 아래로 남자의 이마가 드러났다. 평소 인상을 많이 쓰는지 넓은 이마에 곡괭이로 파 놓은 듯 깊은 주름들이 파여 있었다.

"죽은 지 얼마 되지 않았어. 혈색이 선명한 걸 보면 한 시간도 채 되지 않은 것 같은데……."

사토 서장이 중얼거리다 강 형사를 돌아보았다.

"그러니까 범인은 아직 경성 거리에 있다는 증거겠지. 제아무리 날쌘 놈이라도 멀리 달아나지 못했을 거야."

강 형사가 일어서서 사토 서장을 쳐다보았다. 사토의 얼굴은 자신만만했다. 사람 좋아 보이는 축 처진 눈에서 강렬한 빛이 흘렀다.

"오늘 밤부터 총력을 기울이라고! 강 형사, 스물네 시간이야. 스물네 시간 안에 경성 구석구석을 다 뒤져서 범인을 잡아 와! 안 그러면 이번엔 참말 옷 벗을 생각하라고!"

지난 부녀자 살인 사건을 염두에 두고 하는 소리였다. 강 형사는 사토의 명령에 습관적으로 "넵!" 하고 부동자세를 취했다. 하지만 스물네 시간이라니, 속으로는 기가 찰 노릇이었다. 하긴 놈이 잡혀 주기만 하면, 스물네 시간이 아니라 한 시간 안에라도 사건은 해결될 것이다. 그러나 경찰 생활 칠 년 차인 강 형사에게 그런 기적이 일어난 적은 단 한 번도 없었다.

"저 양반, 우리가 지금 무슨 활동사진 찍는 줄 아나! 활동사진이라면 가만있어도 사건이 척척 풀릴 테지!"

옆에서 박 형사가 사토 서장의 뒷모습을 보며 투덜거렸다. 그러고는 늘어지게 기지개를 켜더니 목을 좌우로 꺾었다. 뚜둑. 뼈에 금이라도 간 듯 목에서 요란한 소리가 났다.

고보 선후배 사이인지라 박 형사는 둘이 있을 때 강 형사를 형이라고 불렀다. 그런 관계가 아니더라도 삼 년 가까이 그림자처럼 붙어 형사 노릇을 했으니 가까워질 수밖에 없었다. 올해 스물다섯인 박 형사는 형사치고는 선이 고운 남자였다. 유행에도 민감한 멋쟁이라 계절에 따라 옷도 잘 차려입고 다녔다. 늘씬한 몸에 윤곽이 뚜렷한 얼굴을 보면, 사실 극단 배우를 해도 손색이 없었다. 강 형사와는 네 살 차이밖에 나지 않지만 말끔한 외모 덕에 족히 예닐곱 살은 더 어려 보였다. 참한 여자를 만나 결혼하라는 주위의 성화에도 박 형사는 도통 결혼 생각이 없었다. 따르는 여자들은 꽤 있었다. 하지만 어느 누구와도 연애를 진지하게 하지는 않았다. "결혼이라는 굴레에 빠져 한 여자에게 얽매여 살고 싶지 않아요." 결혼을 재촉하는 강 형사의 말에 박 형사는 그렇게 말했다. 강 형사로서는 도무지 이해가 가지 않았다.

"이 사람이 최초의 목격자랍니다."

제복 경찰이 남자를 데리고 강 형사에게 다가왔다. 인력거꾼이라고 자기소개를 한 남자는 겁에 질린 얼굴로 어깨를 바르르 떨었다.

강 형사는 삼십 대 초반이나 될 법한 남자를 유심히 살피다 질문을 던졌다.

"몇 시쯤 저 노인을 태웠습니까?"

"그, 그러니까 제가 광통교에서 손님을 태울 때가 저녁 8시쯤 됐습니다요."

"광통교 근처에서 저 노인을 인력거에 태웠다는 말입니까?"

"그, 그렇습니다요."

옆에서 박 형사는 인력거꾼이 하는 말을 열심히 적었다. 인력거꾼은 행여 죄를 뒤집어쓰는 건 아닌가 싶어 낯빛이 파리했다.

"한데, 사체를 발견한 시간은 밤 9시 50분경이라고 들었습니다. 그동안 다른 곳엘 들렀습니까?"

"낙원정엘 잠깐 들렀다가 손님께서 다시 관철정으로 가자 하셨습니다요. 하여 시키는 대로 달렸습지요."

"낙원정에서 관철정은 아무리 늦어도 이십 분이면 닿는 곳입니다. 중간에 또 다른 곳에 들렀다는 말이군요?"

집요한 질문에 인력거꾼은 억장이 무너졌다. 마른하늘에 날벼락이라고, 말 한마디 잘못했다간 자칫 살인범으로 몰릴지도 모를 형편이었다. 마음을 가라앉히려고 침을 꼴깍 삼키고는 다시 이야기를 시작했다.

"손님께서 관철정 우미관 근처로 얼른 가자고 했습지요. 헌데, 가다가 인력거 바퀴가 고장 나는 바람에 한 십 분쯤 지체했습니다요. 십 분 늦어진 걸 보상하느라 여느 때보다 더 빨리 관철정으로 달려갔습니다요. 손님께서 안 그러면 인력거값을 깎겠다고 으르렁댔으니까요."

"인력거값을 깎아요?"

"네, 첫눈에도 어찌나 구두쇠로 보이던지…… 저야 무작정 빨리 달렸습지요."

"십 분이 늦어졌다 해도 거리를 보면, 9시 5분이나 10분 정도밖에 되지 않을 시간이지 않습니까?"

강 형사의 물음에 인력거꾼은 입술이 바짝 탔다.

"그, 그러니까, 손님께서 저기 보이는 골목 입구에서 내리더니 좀 기다리라고 했습니다요."

"한데 저 노인이 한참이 지나도록 안 나왔다는 겁니까?"

"그렇습지요. 그래서 제가 애가 타서 가 봤지요. 행여 인력거값을 떼먹고 줄행랑친 게 아닌가 싶어서요. 한데 아무리 찾아봐도 손님이 보이지 않는 겁니다. 내 열통이 터져 이 골목 저 골목 마구 헤집고 다녔습지요. 그러다가는……."

인력거꾼은 몸서리를 쳤다. 사체로 발견된 노인의 얼굴이 떠오른 탓이었다. 인력거꾼은 조금 전보다 더 떨리는 목소리로 말을 꺼냈다.

"손님께서 피가 낭자해 가지고는 쓰러져 있지 뭡니까요! 혹시나 해서 노인네 팔을 툭툭 쳐 봤으나 꿈쩍하지 않더라구요. 하도 놀라서 얼른 가까운 주재소를 찾아가 신고했습니다요."

인력거꾼의 관자놀이를 타고 굵은 땀방울이 뚝뚝 흘러내렸다. 강 형사는 고개를 끄덕이며 수고했다는 말을 건넸다.

"참, 저 노인이 다시 어디로 간다는 말은 하지 않았습니까? 가령, 집이라든가 아니면 다른 곳이라든가?"

강 형사는 뒤돌아서려는 인력거꾼에게 한마디 더 물었다. 인력거꾼이 잠시 머뭇대더니 생각난 듯 말했다.

"아, 명치정으로 갈 테니 조금만 기다리라고 했습니다요. 9시 반에만 도착하게 해 주면 웃돈을 얹어 주겠노라 했습지요. 꽤나 급한 볼일이 있는 것 같았어요. 좀 전에는 그리 인색하게 굴더니 돈을 얹어 주겠다고 해서 의아했습지요."

"명치정이라……."

강 형사는 고개를 끄덕이며 중얼거렸다.

"오늘 저 인력거꾼, 똥줄 한번 제대로 탔겠어요."

박 형사가 인력거꾼의 뒤통수를 보며 말했다. 그때까지 강 형사는 인력거꾼에게서 눈길을 거두지 않았다. 그의 머릿속은 이미 사건에 대한 생각으로 가득 찼다. 그러나 다른 이가 보기에 무슨 생각을 하는지 도무지 마음을 읽을 수가 없는 얼굴이었다.

강 형사가 다시금 쭈그리고 앉아 사체를 살피는데, 조금 뒤 박 형사가 다급하게 말을 걸어왔다.

"이게 사체에서 나온 물건이랍니다."

강 형사는 물건을 올려다보았다. 어느새 박 형사는 장갑 낀 손으로 작은 가방을 들고 있었다. 겉이 낡은 검은색 가죽 가방이었다. 가방 안에는 동전 몇 개와 수첩이 들어 있었다.

"가방을 그대로 두고 튄 걸 보면, 범인이 꽤나 마음이 급했던 모양이에요. 하긴 뭐, 돈은 얼마 들어 있지도 않네."

박 형사는 혀를 쯧쯧 차며 강 형사가 하는 양을 지켜보았다. 강 형사는 장갑을 끼고 가방 안에 들어 있는 작은 수첩을 꺼내 펴 보았다. 시원시원한 글씨체가 눈에 들어왔다. 수십 줄이나 되는 수첩 칸마다 집 주소가 빼곡히 적혀 있었다. 고리대금업자인가? 그런 생각을 하면서 강 형사는 사체의 얼굴을 살폈다. 서서히 경직되고 있는 사체의 얼굴은 고집스럽기 짝이 없었다. 툭 불거진 짙은 눈썹과 입가에 잡힌 주름이 평소 그의 성격을 보여 주는 것 같았다. 그러나 죽는 순간 발악한 것이 분명한 듯 악다문 입술을 보자 기분이 씁쓸했다.

"아무래도 그거, 임대해 준 집 주소 같은데요?"

박 형사가 말했다. 강 형사는 퍼뜩 고개를 들고 박 형사를 올려다보았다. 그러다 다시 고개를 숙이고 수첩에 적힌 글씨를 찬찬히 읽어 내려갔다. 그러나 수첩 어디에도 명치정이란 글자는 보이지 않았다.

"우리 집 주인장도 그런 수첩을 들고 다니면서 방세를 받으러 다니더라고요. 에고, 난 언제쯤 내 집을 마련할 수 있을지 모르겠습니다. 집값이 하늘 높은 줄 모르고 뛰고 있으니 원!"

박 형사가 투덜대는 소리를 들으면서 강 형사는 자리에서 일어섰다. 그러고는 말없이 앞으로 걸어갔다.

"형, 뻔한 사건 아니겠어요? 저 노인네, 저리 초라해 보여도 임대업자 같은데요? 경성에서 임대업을 한다면 대단히 부자란 소린데, 아마 누군가 노인네 돈을 노리고 죽였을지도 모르죠."

강 형사는 여전히 묵묵부답인 채 생각에 골몰했다. 사체의 신원을 파악하기는 생각보다 어렵지 않을 듯했다. 저런 차림으로 명치정을 가려 했다면, 틀림없이 임대료를 받으러 갈 예정이었을 것이다.

신원 파악이 끝나는 대로 노인의 행적을 파악하는 일이 급했다. 그런 생각을 하자 강 형사는 절로 한숨이 나왔다. 오늘도 야근을 해야 할 판이었다. 신혼 육 개월에 접어든 아내에게 이번엔 뭐라고 말해야 할지, 구차한 변명거리조차 떠오르지 않았다.

"형, 내가 우미관 근처를 조사해 볼까요?"

박 형사가 물었다.

"으응, 그러지. 그럼 나는 종로통 네거리를 들쑤셔 봐야겠군."

강 형사는 골목길을 걸어갔다. 골목을 나와 우미관에서 쏟아져 나오는 사람들을 내다보는 순간, 아내의 얼굴 따위는 까맣게 잊어버렸다. 불빛 환한 거리를 두리번거리다 종로통을 향해 걸어갔다.

네거리 근처에 이르자 멈춰 서서 상점들을 죽 훑어보았다. 이 시간에 불 켜진 곳이라고는 유흥업소 몇 군데뿐이었다. 불 켜진 상점 간판들을 둘러보면서 담배를 피워 물 때였다.

느닷없이 1층 카페에서 요란한 소리가 터져 나왔다. 기물이 퍽퍽 부서지는 소리와 함께 각목 휘두르는 소리, 비명 소리가 흩어져 나왔다.

"이런 개자식들!"

강 형사는 눈알을 부라리며 후닥닥 카페 출입문을 열고 뛰어들어갔다.

비좁은 카페 안은 그야말로 아수라장이었다. 부연 먼지 속에서 건달들 예닐곱 명이 뒤얽혀 패싸움을 하고 있었다. 앳돼 보이는 남자와 여자 서너 명이 카운터 아래 몸을 숨긴 채 떨고 있었다. 카페 종업원들인 듯 보였다.

"이 새끼들, 지금 뭐 하는 거야!"

어금니를 질끈 깨문 강 형사의 턱에 단단한 근육이 불거졌다. 보나마나 종로통과 명치정 건달패들이 패싸움을 벌이고 있는 것이다. 상권을 둘러싼 두목들의 패권 다툼에 아래 건달들이 만나기만 하면 피 터지게 쌈질을 했다. 쩌렁쩌렁 울리는 소리에 건달패들이 동작을 멈추고 강 형사를 돌아보았다. 놈들은 멈칫하더니 삽시간에 고개를 떨궜다. 경성 건달패들 사이에서 강 형사는 물귀신으로 통했다. 한번 잡히면 절대 놔두지 않고 족치는 바람에 그런 별명이 붙었다. 강 형사한테도 그중 몇몇은 눈에 익었다. 놈들은 상처투성이 얼굴을 하고서 상대를 노려보며 씩씩거렸다.

"이 새끼들, 이제 보니 이거 아는 놈들 아니야! 어째 요즘 잠잠하다 했더니……."

강 형사가 놈들을 집어삼킬 듯이 눈알을 부라렸다. 마음 같아서는 저런 밥버러지 같은 놈들을 당장 잡아다 처넣고 싶었다. 하지만 제아무리 물귀신이라 해도 당분간은 곤란했다. 발등에 떨어진 사건을 해결하지 않고는 선뜻 일을 벌일 수 없는 처지였다.

"너, 이 새끼들, 영업집을 이 꼴로 만들어 놓고 말이야! 주머니 다 털어! 돈 없으면, 지금 당장 경찰서로 갈 생각해! 알아들어?"

"네!"

놈들이 허겁지겁 있는 돈을 모두 꺼내 강 형사에게 내밀었다. 강 형사는 카운터 앞에서 쭈뼛대며 서 있는 남자 종업원에게 돈을 건네주었다.

"저 자식들이 또 난동 부리면 종로서로 전화해. 다음번엔 아주 족쳐 버리고 말 테니깐!"

강 형사는 놈들을 향해 다시 한 번 눈알을 부라리고 나서 카페를 나왔다. 밤공기가 시원했다. 이마에 맺힌 땀을 손등으로 슥 닦으며 관철정 쪽을 바라보았다. 박 형사는 뭔가 알아냈을까. 그렇지만 기적이 일어나지 않는 한, 오늘 밤 안으로 뭔가 얻어 내기는 틀린 일이었다. 상점마다 문을 꼭꼭 닫고 있으니 도대체 어떻게 해 볼 도리가 없었다.

영업 중인 업소를 두어 군데 더 돌아본 뒤 강 형사는 경찰서로 들어갔다. 새벽녘이었다. 의자 등받이에 등을 대고 있으니 몸이 녹아내릴 것만 같았다. 잠깐 눈을 붙인다는 게 그만 오전 8시가 다 됐다. 상부에 올릴 보고서를 작성하고 나서 화장실 세면대로 가 세수를 했다. 세면대 거울을 보니 하루 사이에 얼굴이 말이 아니었다. 눈두덩이며 볼때기가 늙은 호박처럼 퉁퉁 부어 있었다. 오늘 저녁에는 무슨 일이 있어도 집으로 들어가야 할 것 같았다. 이제 혼자가 아니었다. 한창 신혼 재미를 느껴야 할 때인데, 그러지 못하는 아내를 생각하면 면목이 없었다.

"형, 지금 곧 수사 회의가 있대요."

이튿날, 복도에서 마주친 박 형사가 강 형사에게 말했다. 어제 내내 자료 조사를 한 결과 죽은 피해자의 신원이 밝혀졌다. 불과 몇 시간 전의 일이었다.

"뭐야! 벌써 범인이 잡힌 거야?"

"그럴 리가요. 부검 결과가 나왔나 봐요."

강 형사는 속사포처럼 진행되는 수사 과정에 어리둥절했다. 무뚝뚝한 얼굴로 2층 회의실로 걸어갔다.

종로경찰서 간부들이 모인 회의실에서 형사과장이 조사 결과를 발표했다. 강 형사는 멀찌감치 떨어진 자리에 앉아 손가락으로 관자놀이를 눌렀다.

"에, 8월 27일 밤 10시경에 있던 관철정 사체의 신원은 다음과 같이 파악됐습니다. 성명 김정필, 나이 62세, 주소는 경성부 다옥정 3번지이며 주택 임대업을 한 것으로 파악됐습니다. 또한 평북 금광에서 캔 노다지로 삼십만 원 상당의 재산을 축적한 자산가라는 사실이 밝혀졌습니다."

삼십만 원의 재산이라는 소리에 한순간 회의실 안이 술렁거렸다. 그러나 강 형사는 맥이 탁 풀리는 기분이 들었다.

"사체 부검 결과, 사망 시간은 밤 9시 무렵으로 추정됩니다. 범행에 사용된 흉기는 길이가 10센티미터인 단도로 밝혀졌습니다. 또한 비틀어 찌른 자국이며 정확히 급소를 찌른 걸 보면, 우발적인 범행이 아닌 계획적인 전문가의 소행이라는 결론이 나왔습니다. 그리고……."

계속되는 형사과장의 발표를 들으면서 강 형사는 손가락으로 양쪽 눈을 지그시 눌렀다. 갑자기 피로가 왈칵 밀려들었다. 첫 예감대로 죽은 노인은 임대업자였다. 그렇다면 뻔한 사건일 것이다. 한마디로 돈에 얽힌 범죄였다. 강 형사가 수사를 시작도 하기 전에 맥이 풀린 건 그런 이유에서였다. 그의 경험에 의하면, 돈에 얽힌 범죄만큼 치졸하고 허탈한 사건은 없었다.

4

　죽은 김 노인의 집이 있는 다옥정 3번지는 청계천 가에 있었다. 오래된 기와집들이 좁은 골목길을 사이에 두고 나란히 들어섰다. 골목길은 미로처럼 구불구불해서 밤이었다면 찾는 데 애를 먹었을지도 몰랐다. 가뜩이나 길눈이 어두운 터라 강 형사는 일찌감치 김 노인의 집을 탐문하기로 마음먹었다. 오른쪽으로 꺾어들자 왼쪽 세 번째 집 대문에 문패가 걸려 있었다. 김정필. 김 노인의 이름을 읽는데, 순간적으로 가슴이 아렸다. 아무리 오랫동안 형사 생활을 했어도 익숙해지지 않는 게 있다면, 바로 이런 순간인지도 모른다.

　대문을 열고 중년 아낙이 나와 강 형사와 박 형사를 맞이했다.

김 노인의 며느리라고 자신을 소개한 아낙은 내내 울었는지 눈가가 발갛게 짓물렀다.

"종로서에서 온 강 형사입니다. 이쪽은 박 형사고. 별안간 그런 일을 당하게 돼서 상심이 크시겠습니다."

강 형사가 고개를 숙였다. 강 형사가 건넨 위로의 말에 아낙은 사무치는지 또다시 눈시울을 붉혔다.

"무슨 일이 있어도 아버님을 그 지경으로 만든 놈을 꼭 잡아 주셔요. 어머님은 저리 실신해 누워 계시고, 집안이 풍비박산 난 듯 아찔할 지경이랍니다."

아낙은 우두커니 서 있는 두 형사를 번갈아 보며 다짐받듯 말했다. 꼭 다문 입매가 야무져 보이는 아낙이었다.

"그럼요. 범인을 잡으려고 백방으로 뛰고 있으니 곧 잡힐 겁니다. 그 점은 걱정 마십시오. 헌데, 아주머니께 몇 가지 여쭐 게 있습니다."

강 형사가 조심스레 말했다. 아낙이 입을 굳게 다물며 고개를 끄덕였다. 범인을 잡는 일이라면 무엇이든 다 이야기해 줄 작정이었다.

"아버님께서 그제 외출하셨다 했는데 어디로 가신다고 했습니까?"

"정오 무렵에 점심을 드신 뒤 방세를 받으러 가셨어요. 한데 허탕을 치신 바람에 저녁 무렵 다시 외출하셨습니다. 그러다가는 그만⋯⋯."

"허면 혹 명치정에 들르겠다고 하셨습니까?"

아낙이 복받치는 감정을 누르고 강 형사를 멀뚱히 바라보았다.

"명치정에 가신다는 소리는 못 들었어요."

"아니면, 혹시 아버님께서 가끔 명치정엘 나가신 적은 있었습니까?"

다그치는 물음에 아낙은 조개처럼 입을 꾹 다물었다. 왜 자꾸 명치정을 물고 늘어지는지 알 수가 없다는 얼굴이었다.

"잘은 모르겠으나 명치정에 다니신 것 같지는 않았어요. 방세를 받으러 나가는 길에 종종 친구분들을 만나 종로통에서 약주를 드시고 온 적은 있었지요. 맞아요, 일주일에 한 번씩은 꼭 노닐다 오시곤 했어요."

"일주일에 한 번이오?"

"네⋯⋯. 한데 그게 무슨 문제라도 되는 건가요?"

아낙이 정색하며 물었다.

"아, 아닙니다. 그저 뭔가 작은 실마리라도 잡으려고 저희도 이것저것 물어보는 것이니 신경 쓰지 마십시오."

강 형사는 고개를 돌려 죽 들어선 방들을 훑어보았다. 주인집을 빼고 세 가구가 살고 있었다.

"세 가구가 세 들어 사는 모양입니다. 방 안이 텅 빈 듯한데 다들 일하러 갔나 봅니다."

강 형사는 무심한 척 질문했다. 아낙이 몹시 예민한 듯 보여 더욱 말 꺼내기가 조심스러웠다. 공연히 말투에서 암시를 주거나 한다면, 아낙은 아무 죄도 없는 세입자들한테 의혹을 품게 될지도 모를 일이었다.

"그렇습지요. 마주 보이는 방에 사는 젊은 부부는 내외가 식당에서 일을 한답니다. 남대문통에 있는 설렁탕집이라고 들었어요. 그리고 그 옆방 사는 이는 과부인데, 온종일 남의 집 살림을 살아 주다가 저녁 무렵에야 들어온답니다."

"그럼, 저 방은요?"

"문간방에는 남매가 살아요. 아마 동재 군은 지금 방에 있을 거예요. 자고 있을 게 뻔하지만 말입니다. 그렇지 않아도 그제 방세 문제로 아버님께서 언성을 높이셨답니다. 참, 누나 정란 양은 명치정 백화점에서 일을 한다지요. 미쓰코시백화점 신사부 점원이라 했어요."

강 형사는 슬그머니 고개를 돌려 박 형사를 보았다. 박 형사와 눈이 마주치자 다시 허공을 향해 눈길을 돌렸다. 뭔가 골똘히 생각하는 눈치였다.

"이거 마음도 편치 않으실 텐데 수고를 끼쳐 드려 죄송합니다. 문간방에 사는 청년을 만나 보고 우리는 돌아가겠습니다."

강 형사는 고개 숙여 인사를 건넸다. 아낙도 인사를 한 뒤 대청마루로 올라가 안채로 들어갔다.

문간방으로 몇 발짝 걸어가는데 박 형사가 다가와 속삭였다.

"죽은 김 노인에 대한 평판이 영 좋지 않아요. 세입자들을 미리 만나고 왔는데 하나같이 혀를 내두르더라고요."

강 형사가 박 형사를 힐긋 보았다.

"아주 지독한 사람이었나 봅니다. 방세가 밀리면 석 달까지는 봐주지만 그다음부터는 영락없이 내쳤답니다. 갓난아기가 있는 집까지 모조리 다요. 어쩌면 원한 관계에 의한 살인일 수도 있겠어요."

그제야 강 형사는 집게손가락을 입술에 갖다 대며 눈을 부릅떴다. 박 형사는 멋쩍어 짐짓 헛기침을 했다.

"박 형사, 문간방으로 가 보자고."

강 형사는 아무렇지도 않은 얼굴로 말했다. 그러나 목소리에는 노기가 배었다. 속수무책인 사람을 파트너로 두고 있으면, 피곤한 일이 한두 가지가 아니었다. 가끔씩 박 형사는 천진할 정도로 눈치가 없었다. 강 형사는 새삼스레 박 형사의 옷차림을 훑어보았다. 잘 다려 입은 와이셔츠에 반지르르한 감색 양복을 빼입은 채였다.

'어이구, 저 차림으로 어찌 튀는 놈들을 잡으려고!'

그 말이 목구멍까지 치밀고 올라왔으나 헛기침을 하고 나서 문간방 쪽으로 걸어갔다.

"계십니까?"

박 형사는 실수를 만회하려는 듯 긴장한 얼굴로 방 주인을 불렀다. 그러나 한참이 지나도 방 안에서는 아무런 기척이 없었다. 이번에는 방문을 툭툭 두들겼다. 조금 지나자 청년이 게으른 동작으로 미닫이문을 열었다. 오전이 한참 지난 시간인데 막 잠에서 깨어난 듯 몰골이 부스스했다. 졸음에 겨워 제대로 뜨지도 못한 눈이 썩은 동태 눈깔처럼 흐리멍덩했다.

"종로서에서 온 형사들인데 잠깐 시간 좀 내주겠나?"

형사라는 소리에 동재의 눈이 크게 벌어졌다. 남자 둘이 버티고 서서 자기를 내려다보았다. 말을 건 이는 호리호리한 체격에 말쑥한 차림이었다. 조금 뒤에 서 있는 이는 중간 키에 몸이 꽤 다부진 사람이었다. 동재는 두 형사를 뚫어지게 쳐다보더니 옷

옷을 부랴부랴 챙겨 입었다.

그사이 강 형사는 방 안을 휘둘러보았다. 벽에 옷가지가 잔뜩 걸려 있었고, 벽면을 따라 화장대며 작은 옷장들이 줄줄이 놓여 있었다. 비좁은 방 안이 살림살이로 미어터질 지경이었다. 화장대 위에 놓인 화장품들을 바라보았다. 올망졸망한 화장품 용기 중에서 자개함으로 된 분통이 눈에 들어왔다. 박가분이라 불리는 저 분통은 요즘 젊은 여자들 사이에서 유행하는 화장품이었다. 무뚝뚝한 강 형사조차도 연애 시절 아내에게 선물한 적이 있었다.

"그제 김 노인이 방문 앞에서 고함을 질렀다고 하던데, 무슨 일로 그랬나?"

강 형사는 물음을 던지고 나서 동재의 얼굴을 살폈다. 티 내지 않으려고 애쓰는 것 같았지만 녀석의 미간에 주름이 잡혔다.

"그야, 뭐 밀린 방세를 내놓으라고 했지요. 사는 꼴이 이렇다 보니 방세를 좀 밀렸지 뭡니까요."

"다른 말을 한 건 없고?"

"다른 말이랄 게 뭐 있겠어요! 사흘 안에 방세를 안 내놓으면 짐 싸라고 했지요. 그러고는 만날 하는 잔소리를 퍼부어 댔어요."

"잔소리라면 어떤 종류의 이야기였나? 좀 더 구체적으로 말해 보게."

동재는 강 형사를 쓱 올려다보았다. 그제 밤에는 한집 사는 집주인이 죽더니 오늘은 일찍부터 형사들이 찾아와 꼬치꼬치 캐묻고 있다. 가뜩이나 죽은 영감쟁이의 얼굴이 떠올라 무서워 죽는 줄 알았다. 사흘을 기다리겠다는 그의 말이 귀신의 곡성처럼 자꾸만 귓가에서 맴돌았다. 혼자 잠을 자는데 기분이 오싹해지면서 식은땀이 줄줄 흘러내렸다.

"뭐, 이를테면…… 방문을 노크도 않고 벌컥 열고는, 야 이눔아, 내가 너만 했을 적에는 지게를 지고 오십 리를 오갔어. 그래도 밥 벌어먹기가 쉽지 않은 시상이여. 뭐, 이런 식이었지요."

동재의 악다구니 흉내에 박 형사가 피식 웃음을 흘렸다. 강 형사는 표정이 달라지는 것도 없이 다른 질문을 던졌다.

"허면 김 노인을 본 게 몇 시쯤이었나?"

"낮 12시 반쯤이나 된 것 같았어요."

"자네는 내내 집에 있었고?"

"노인네가 깨우는 바람에 저도 일어나 그 길로 명치정엘 갔어요. 거기 조선취인소에 제가 요즘 재미를 붙이고 있어서 말입니다."

"으음……. 한데 그 뒤로는 뭘 했나?"

"조선취인소에서 얼쩡거리다 동무 영달이 녀석하고 거리에서 죽치고 앉아 놀았어요. 그리고 7시쯤 그 녀석은 카페로 일하러 가고, 저는 누나를 만나러 미쓰코시백화점으로 갔어요. 누나가 거기 점원으로 일하거든요. 백화점에서 좀 있다 나왔지요 뭐. 차비를 아낄 겸 종로통까지 걸어오면서 야시장 구경 좀 하다가 당구장에 들러 당구를 몇 판 쳤어요."

"당구장 이름은?"

강 형사의 끈질긴 질문에 동재는 마침내 화가 벌컥 치밀었다.

"아니, 형사님, 지금 저를 의심하는 겁니까?"

"아니, 너한테만 이리 묻는 게 아니라 김 노인 주변 사람들을 일일이 찾아다니며 탐문하고 있어. 그래야 해결의 실마리를 풀 수 있을 것 같아서 말이지. 자자, 화 풀고 대답해 봐."

"당구장 이름은 경성 구락부예요. 거기 10시쯤 도착해서 자정 무렵까지 당구를 쳤다구요. 됐습니까요?"

동재는 아직 화가 풀리지 않아 부루퉁했다. 열심히 대화를 기록하던 박 형사가 어처구니없다는 듯 동재를 보았다.

"한데 누나는 그제 밤 몇 시에 들어왔나?"

"글쎄요……."

누나 이야기를 꺼내자 동재의 눈빛이 눈에 띄게 흔들렸다. 정란은 그제 밤 외박을 했다. 그대로 백화점으로 출근했는지 어젯밤에도 집에 들어오지 않았다.

'바람만 잔뜩 든 계집애 같으니라구……'

동재는 아랫입술을 살짝 깨물었다. 어떻게 말해야 할까, 잠시 머리를 굴리다가 둘러댔다.

"밤늦게 들어온 것 같기는 한데, 몇 시쯤인지는 확실히 모르겠어요. 제가 비몽사몽이어서 말이지요. 수요일이면 구락부 모임이 있어 원래 늦게 들어와요."

"수요일, 구락부? 어떤 구락부지?"

동재는 강 형사를 올려다보다 하는 수 없다는 듯 툭 내뱉었다.

"댄스 구락부랍니다. 한데, 제가 좀 바쁜데 아직 물어볼 말씀이 더 있으십니까요?"

녀석은 지루한지 슬슬 꽁무니를 뺐다.

"그래, 이야기 잘 들었다. 혹 더 물어볼 말이 있으면 또 찾아오마."

동재는 방문을 쾅 소리 나게 닫았다. 또 찾아온다니, 정말이지 달갑지 않은 소리였다. 형사들이 방문을 두들기며 꼬치꼬치 캐물을 생각을 하니 벌써부터 숨이 콱 막히는 것 같았다.

"에라, 명치정에나 나가자!"

머릿속이 복잡한 김에 동재는 툭툭 자리를 털고 일어났다. 조선취인소로 나가 무리에 끼어 볼 생각이었다. 오늘은 영달이 녀석한테 돈을 빌려 도박판에 낄 참이었다. 돈줄을 단단히 물었는지 녀석은 하루도 빠지지 않고 조선취인소 앞에서 얼쩡거렸다.

　세수를 하고 들어오면서 동재는 주인댁 대청마루를 보았다. 스산한 대청마루를 내다보는데, 문득 마루 끝에 걸터앉아 담배를 피우던 김 노인의 모습이 떠올랐다. 김 노인은 언제나 곰방대 담배를 피웠다. 필터 담배를 피우는 시절에 곰방대를 물고 있는 노인의 모습은 고리타분하기 짝이 없었다. 하지만 한편으론 햇살을 받으며 느긋하게 담배 연기를 빨아들이는 김 노인의 모습은 평온하기 그지없었다. 괴팍하고 인색한 평소 모습은 온데간데없고 아기처럼 해맑아 보이기까지 했다. 어쩌면 전 재산을 털어 산 금광에서 운 좋게 노다지를 발견하던 때를 회상하고 있었는지도 모른다.

　"인생 뭐 있어! 언제 죽을지도 모르는데!"

　동재는 거울 앞에서 옷을 갈아입으며 중얼거렸다. 다른 옷으로 갈아입을까 하다가 그만두었다. 어제 김 노인 소식을 듣고 난 뒤 줄곧 기분이 찜찜했다. 허전하다고도 께름칙하다고도 할 수 없는 묘한 기분에 사로잡혔다. 사사건건 참견하고 들었던 김 노인의 죽음이 동재에게 충격을 준 건 사실이었다. 게다가 죽은 방식 또한 너무나 끔찍했다.

'그 영감쟁이, 하필 칼에 맞아 죽을 게 뭐람.'

살해 현장을 목격한 사람처럼 동재는 두고두고 소름이 끼쳤다.

강 형사는 골목길을 벗어날 때까지 입을 다물었다. 생각에 골몰한 채 박 형사를 조금 앞질러 걸어갔다.

"김 노인이 얼마나 의심이 많은 사람인지, 그 많은 돈을 은행에도 집어넣지 않았답니다. 궤짝에 넣어 은밀한 곳에 보관했대요. 세상에, 돈의 행방을 집안 식구들도 모른다지요? 아무튼 조선 제일의 거부 이용익♦처럼 될까 봐 겁을 집어먹었다나 봐요."

박 형사가 흘리는 말에 강 형사는 멈칫 돌아섰다.

"이용익?"

"아, 왜 제일은행 삼십삼만 원 예금 실종 사건 말입니다. 재작년인가? 그의 손주가 돈 찾겠다고 재판을 하지 않았습니까? 그간 이자까지 합해 팔십여만 원을 찾겠다고 소송을 걸었대요."

♦ 1854~1907년. 조선 말기 대한제국의 정치인, 관료, 외교관. 함경도와 강원도 일대 다수의 금광을 소유한 백만장자였다.

"아, 금광 재벌 이용익 말이군. 한데 그자 돈이 결국 어떻게 됐지?"

"이용익 손주가 제일은행하고 조선총독부를 상대로 소송을 걸었지만, 결국 한 푼도 못 받고 막을 내렸대요. 그래도 그 사람, 집념 하나는 대단했어요. 조선총독부를 상대로 소송을 건 최초의 조선 사람 아닙니까?"

"흠, 은행에 예금한 돈이 다 실종되고…… 참말, 떡 주무르듯이 잘도 주물러 대는군. 이젠 있는 사람들도 믿을 데가 없어 돈뭉치 싸 들고 안절부절못하겠구면."

"그러게 말입니다. 조선총독부나 제일은행이나 둘 다 눈 가리고 아웅하겠다는 수작 아닙니까? 손주가 소송을 걸지 않았다면, 우리 같은 사람들은 모르고 넘어갈 뻔했어요."

박 형사는 흥분했는지 목소리를 높였다. 그러나 강 형사는 다시금 묵묵히 걸어갔다. 대로변에 이르자 멈춰 서더니 박 형사를 뚫어지게 바라보았다.

"박 형사, 아까 그 청년 이름이 뭐라고 했지?"

역시 다른 생각을 하고 있는 것이다.

"그 건들건들한 놈 말이지요? 동재라고 했어요."

"오늘 그 녀석 뒤 좀 따라가 봐. 그제 현장부재증명도 조사해 보고. 아니, 그 녀석 친구가 일하는 카페부터 한번 가 보는 게 좋겠다. 아무튼 낱낱이 알아보라고."

집중력이 뛰어난 사람이었다. 어떤 사건에 꽂히면 해결을 볼 때까지 온통 그 생각뿐이었다. 여덟 살이나 어린 형수님이 머리 싸매고 앓아누워 있는 것도 이해가 갔다. 일에 빠져 아내 보기를 돌덩이 보듯 할 터인데, 골이 나지 않을 수 없을 것이다. 그렇다고 월급을 더 받는 것도 아닌데 뭐 하러……. 박 형사는 그런 강 형사를 도무지 이해할 수 없었다.

박 형사를 돌려보내고 나서 강 형사는 남촌 쪽을 내다보았다. 남산 아래로 높은 건물들이 눈에 들어왔다.

"미쓰코시백화점이라……."

주요 상권이 종로통에서 본정♦과 명치정으로 넘어가면서 그 거리에는 백화점들이 들어섰다. 미쓰코시, 조지야, 미나카이, 히로다……. 종로통에 있는 백화점은 몇 년 전 동아백화점이 폐업하면서 지금은 화신백화점 한 군데뿐이었다. 미쓰코시는 경성 안 백화점 중에서 단연 눈에 띄었다. 건물 외관이 멋스러울 뿐만 아니라 매출에 있어서도 다른 백화점을 몇 배나 능가했다.

♦지금의 충무로

그 백화점에서 녀석의 누나가 점원으로 일한다고 했다. 꽤나 잘나가는 신여성일 터였다. 강 형사는 일면식도 없는 녀석의 누나가 그려졌다. 눈부시도록 세련된 용모에 도도하기 이를 데 없는 여성일 터였다. 그도 그럴 것이 백화점 점원은 아무나 하는 게 아니었다. 미모와 교양을 갖춘 요즘 젊은 여성들의 꿈의 직장이었다.

그런데 아무래도 그 녀석의 태도가 마음에 걸렸다. 누나에 대해 물을 때, 빤질거리던 녀석의 눈빛이 눈에 띄게 흔들렸다. 틀림없이 뭔가 켕기는 게 있었다. 강 형사는 여전히 명치정 거리가 마음에 걸렸다. 경찰서로 들어가려던 발걸음을 돌려 전차 정류장을 향해 걸어갔다.

5

영달은 양장점 송옥에서 삼십 분이 넘도록 꾸물거렸다. 도박
판에서 돈을 따더니 부리나케 정한빌딩 1층에 있는 양장점으로
옷을 사러 갔다. 동재는 쇼윈도 너머로 영달을 살펴보았다. 점원
이 건네준 옷을 입으면서 녀석은 실성이라도 한 것처럼 해죽거
렸다.

"녀석이 별안간 돈벼락을 맞았나?"

동재는 약이 올랐다. 그렇지 않아도 조선취인소 거리에서 도
박을 하다 단번에 백 원을 날리고 말았다. 번 것에 반을 떼어 준
다는 조건으로 영달한테 빌린 돈이었다. 녀석이 하는 짓을 보면
고리대금업자가 따로 없었다. 눈 하나 깜짝 않고 날강도 짓을 하

려는 수작이었다.

그런데 남의 돈이란 게 일단 자기한테 들어오면, 제 것인지 남의 것인지 판단이 서지 않는 법이었다. 갚을 수 있으면 갚아 주고, 못 갚으면 그대로 그만이었다. 백 원이 손에 들어오자 동재는 간이 배 밖으로 튀어나올 만큼 배포가 커졌다. 아무 생각 없이 도박꾼들이 하는 대로 판돈에 백 원을 걸었다. 귀신에 홀린 것처럼 잠깐 혼이 나간 상태였다. 그러다 순식간에 백 원을 잃고 났더니 정신이 번쩍 들었다.

"억세게 재수 없는 날이구먼!"

동재는 허공을 보며 숨을 길게 내쉬었다. 느닷없이 눈앞으로 아는 얼굴이 스치고 지나갔다. 오전에 집을 찾아온 강 형사라는 사람이었다. 다부진 몸에 우락부락한 생김새가 가만 보니 건달패라 해도 믿을 만했다. 한데 저 작자가 어딜 저리 바삐 가는 거지? 동재는 그의 발놀림을 부지런히 눈으로 좇았다. 강 형사는 큰 보폭으로 상점들을 휘릭 지나 왼쪽 길목으로 접어들었다.

동재는 강 형사 뒤를 따라 걸었다. 상점들을 지나 왼쪽 길목으로 접어들자 한참 떨어진 곳에서 강 형사의 뒷모습이 보였다.

강 형사는 명치제과점과 사쿠라양화점 옆을 빠르게 지나갔다. 상점 골목을 벗어나 경성우편국을 지나더니 대로변에서 멈춰 섰다. 넓은 도로는 자동차들과 사람들로 북적댔고, 전차가 다가오고 있었다. 도로가 한산해진 틈을 타 강 형사는 길을 건넜다. 다시금 발을 재게 놀리며 커다란 건물 앞으로 다가섰다.

"아니, 저 작자가 미쓰코시엔 뭐 하러 가?"

동재는 찜찜한 기분이 들었다. 틀림없이 누나를 만나러 가는 길이었다. 누나에 대해 물을 때 잠시 머뭇거렸던 기억이 났다. 태연한 척 애를 썼지만 눈치 빠른 형사가 그 순간을 놓쳤을 리 없었다.

"저 형사 나리, 헛물만 켜고 있군. 흠, 대일본제국 경찰 나리께서 저렇게 상황 판단을 못 해서야, 원!"

동재는 고소를 금치 못했다. 김 노인이 죽은 시간은 9시 무렵이라고 들었다. 그때라면 누나는 아직 백화점에 머물 시간이었다. 미쓰코시백화점 점원들의 퇴근 시간은 정확히 9시 30분이었으니까.

양장점으로 돌아오자 영달이 새로 산 양복을 입고 밖으로 나왔다. 더블 단추가 달린 검은색 양복은 마른 체격의 영달에게 기막히게 잘 어울렸다.

"어떠냐?"

녀석은 입이 째질 듯이 활짝 웃었다. 동재는 영달을 위아래로 훑어보았다. 아무리 봐도 흠잡을 데 없는 차림이었다. 저렇게 차려입으니 녀석도 제법 귀티가 났다. 하긴 돈만 있다면 유행의 첨단을 달리는 멋쟁이가 되는 건 순식간이었다.

"넌 대체 그 돈이 다 어디서 난 거냐?"

동재가 턱으로 양복을 가리키며 물었다.

"차차 알려 줄게. 걱정 마라, 훔친 건 아니니깐."

영달은 해죽거리며 길을 걸어갔다.

"나 참, 싱겁기는……."

동재는 영달을 따라 카페 한성파라로 걸어갔다. 딱히 시간을 때울 만한 데도 없고 한성파라에 들러 커피나 한잔 마실 생각이었다. 레코드에서 흘러나오는 음악을 들으며 향긋한 커피를 마시면 기분이 한결 좋아질 터였다. 하지만 그것보다는 사실 유미코를 만날 생각이 굴뚝같았다.

명치정 뒷골목 고만고만한 상점들 사이에 한성파라가 자리를 잡고 있었다. 아무런 장식도 없이 사면이 흰색으로 페인트칠이 된 허름한 카페였다. 의자며 테이블도 낡아 오래 앉아 있기 불편했다. 환기도 잘되지 않아 카페 안에서는 늘 퀴퀴한 곰팡내가 났다. 한마디로 한성파라는 고급 취향의 손님들이 들락거리는 곳은 아니었다.

조명등 불빛이 어둑한 카페에서 음악이 흘러나왔다. 엔리코 카루소의 「첼레스테 아이다」, 남자 가수의 유려한 목소리가 흘러나왔다. 이태리 오페라 가수라는 이 남자의 목소리를 유미코는 좋아했다. 때문에 손님이 없을 때면 늘 이 음악을 틀어 놓았다.

유미코는 카운터 앞에 앉아 냅킨을 접으며 노래를 따라 불렀다. 그 뜻이야 수십 번을 들어도 알 리가 없으나 가수의 목소리만은 가슴에 흠뻑 젖어들었다. 동재와 영달이 카페 안으로 들어가자 유미코는 습관적으로 고개를 들었다. 그러나 그뿐, 무심한 얼굴로 다시 고개를 숙이고 냅킨을 접었다.

"넌 손님 보고 인사도 안 하냐?"

동재가 공연히 다가가 거들먹거렸다. 유미코는 냅킨 접던 손을 카운터 바에 소리 나게 내려놓더니 한숨을 푹 내쉬었다. 이런 수작이야, 하루에도 수십 번은 당하는 일이었다.

"만날 공짜 코피나 마시는 주제에 손님은 무슨 얼어 죽을 손님!"

주방으로 들어가며 유미코가 툭 내뱉었다. 동재는 어이가 없었다. 여동생이라면 정말로 한 대 쥐어박고 싶은 심정이었다. 그 모습을 보며 영달은 테이블이며 의자를 정리하다 말고 낄낄거렸다.

동재는 커피 한 잔을 앞에 놓고 의자 등받이에 몸을 기댔다.

첼레스테 아이다…… 포르마 디비나…… 테너 가수의 노래가 절정에 이를 무렵이었다. 카페 출입문이 벌컥 열리면서 한 무리의 남자들이 들어왔다. 느긋하게 커피를 마시던 동재는 놀라 등을 곧추세웠다. 영달을 보자 녀석 또한 바짝 굳은 얼굴로 허리 굽혀 인사를 했다.

"어서 오십시오."

김금만과 패거리였다. 금만은 알록달록 보기에도 요란한 셔츠를 입었다. 모양을 낼 양으로 검은색 외투를 어깨에 턱 걸친 채였다. 영달을 보더니 어깨를 툭 치며 비아냥거렸다.

"야, 너 오늘 어디 무도회장 가냐?"

영달은 고개를 푹 숙였다. 금만은 확실히 상대를 제압하는 깡이 있었다. 기껏해야 자기보다 한두 살이나 더 먹었을 터인데, 영달은 금세 깨갱 하고 꼬리를 내렸다.

"대가리에 피도 안 마른 것이 겉멋만 잔뜩 들어 가지고는……."

금만의 공연한 트집에 패거리 중 한 명이 끼어들었다.

"아이고, 많이 배우신 형님 입에서 대가리가 뭡니까요? 어린애 데리고 자꾸 그러지 말고 얼른 술이나 마십시다요."

금만이 한쪽 입꼬리를 올리며 씩 웃었다. 건달 세계에서 경성 고보 중퇴라는 꼬리표는 금만을 늘 우쭐하게 만들었다. 배두식이 그를 후계자로 지목한 이유 중 하나도 바로 그 간판 때문이었다. 물론 타고난 깡다구와 잘 돌아가는 두뇌 덕분인 것 또한 사실이지만.

금만은 영달한테서 시선을 거두고 카운터 앞에 앉아 있는 유미코를 곁눈질했다. 흠, 헛기침을 하더니 거드름을 피우며 외쳤다.

"유미코 양아, 삐루나 한 열 병 후딱 갖고 와라. 한데 음악이 저, 저게 뭐냐! 당장 「애수의 소야곡」으로 틀어라. 뭐니 뭐니 해도 요즘엔 우리 남인수 아저씨가 최고지!"

유미코는 금만을 본 체도 않고 카운터 유성기 쪽으로 걸어갔다. 꽤나 허세를 부리는 금만이 못마땅했다. 주인 언니가 손님이 원하는 음악을 틀어 주라고 이르지 않았다면, 못 들은 척했을 터였다.

'네놈이 수준 높은 「애수의 소야곡」 가사나 이해할지 모르겠구나.'

속으로 한껏 비아냥거리며 음반을 바꿔 틀었다. 곧 장안에서 유행하는 노래, 남인수의 「애수의 소야곡」이 흘러나왔다.

"야야, 그리고 너 이리 좀 와 봐라."

금만이 다시 주방으로 들어가려는 유미코를 불렀다. 동재는 초조한 얼굴로 유미코를 살폈다.

"무슨 일로 날 오라 가라 하세요? 주인 언니가 바다로 놀러 가는 바람에 바빠 죽겠단 말이에요!"

유미코가 쌀쌀맞게 대꾸했다. 건달 앞에서도 기죽는 법이 없었다. 되레 턱을 치켜들고 눈자위를 희뜩거렸다. 동재는 커피를 홀짝이며 터져 나오려는 웃음을 삼켰다.

"허, 그 계집애 참 싸가지 없구만. 오라버니가 오라면 싸게 올 것이지……."

건달패 동생들 앞에서 금만의 체면이 여지없이 구겨졌다. 금만은 생각 같아서는 유미코의 손목을 틀어잡고 자리에 앉히고 싶었다. 하지만 유미코는 다른 여자들하고 달랐다. 좋은 말로 구슬려도 통나무같이 뻣뻣하기만 했다. 보면 볼수록 대가 센 계집애였다. 금만이 성질껏 함부로 한다 해도 고분고분할 유미코가 아니었다.

낭패한 기색이 역력한 금만을 보면서 건달패들이 낄낄거렸다.

"아 형님, 여자를 사귀려거든 그리 거칠게 해서는 곤란하지요. 유미코 양, 내 말이 맞지이?"

밤톨처럼 짧게 자른 머리에 뒤룩뒤룩 살이 붙은 남자가 유미코를 놀려 먹었다.

주방에 들어간 유미코는 이제 코빼기도 내비치지 않았다. 유미코는 비쩍 마른 노가리를 공이로 쿵쿵 찧으며 투덜댔다.

"에라, 이 빌어먹을 금만아! 네놈 생겨 먹은 게 딱 이 노가리다, 노가리!"

유미코는 노가리를 사정없이 두들겼다. 김금만 같은 인간 말종들에게 술시중을 들고 있으려니 제대로 분이 났다. 하지만 따로 생각해 둔 목표가 있어 꾹 참기로 마음먹었다. 유미코는 카페 시급을 차곡차곡 모아 요긴하게 쓸 생각이었다. 그래서 이 악물며 저 인간들에게 술과 안주를 팔기로 마음먹었다. 하지만 분이 풀리지 않아 그녀의 숨소리가 기차 화통처럼 거칠었다.

금만은 주방 쪽을 꼬나보며 한쪽 입술 끝을 올리고 씩 웃었다. 그러다 공연히 신경질을 부리며 패거리를 향해 소리를 질렀다.

"뭣들 하냐! 이 형님 술잔이 비었다!"

밤은 깊어 가고 테이블에 손님들이 하나둘 들어차기 시작했다. 삐루 수십 병을 마셔 치우던 김금만 패들이 또다시 술을 시킬 때였다. 출입문이 벌컥 열리면서 느닷없이 제복 경찰들이 카페 안으로 뛰어 들어왔다.

"김금만!"

사복 형사 둘이 눈짓을 주자 뒤에서 경찰들이 금만을 덮쳤다. 불시에 일을 당한 금만은 그물에 걸린 물고기처럼 있는 힘껏 몸을 뒤틀었다. 경찰들이 금만을 누르며 양쪽 어깨를 단단히 틀어 잡았다. 순식간에 카페 안은 아수라장이 되었다. 여자들이 비명을 지르며 들고 있던 커피 잔을 떨어뜨렸다. 패거리들은 뒤로 물러선 채 안절부절못했다. 엉거주춤 서서 발악하는 금만을 바라보기만 했다.

"이 새끼들아, 이거 못 놔!"

금만은 소리 지르며 몸부림쳤다. 경찰들한테 붙들린 채 테이블을 발로 세게 걸어찼다. 그 바람에 테이블이 넘어지면서 삐루병과 유리잔들이 바닥으로 굴러떨어져 산산조각 났다. 패거리들이 경찰들을 향해 한 발짝 다가섰다.

"물러서지 못해!"

형사들이 눈알을 부라리며 패거리들에게 권총을 들이댔다. 패거리들이 바짝 긴장한 얼굴로 엉거주춤 물러섰다.

금만은 여전히 악을 쓰며 몸을 뒤틀었다. 하지만 어깨를 단단히 틀어잡힌 터라 카페 출입문 밖으로 속절없이 질질 끌려 나가고 말았다. 그러면서도 금만은 온갖 욕지거리를 내뱉으며 발버둥쳤다.

유미코는 팔짱을 끼고 서서 길게 한숨을 내쉬었다. 빗자루로 유리 조각들을 쓸더니 고개를 치켜들고 출입문을 노려보며 중얼거렸다.

"이런, 똥물에 쓸어 버릴 놈들! 퉤퉤!"

동재는 어이가 없었다. 유미코의 입에서 똥물이 튀어나올 줄 상상도 하지 못했다. 툴툴대며 비질하는 유미코를 보며 동재는 웃음이 나왔다. 비로소 귓속으로 음악 소리가 흘러 들어왔다. 카페 안에서 다시금「첼레스테 아이다」가 흘러나왔다.

강 형사는 종로경찰서로 들어왔다. 방금 용의자가 검거됐다는 소식을 들었다. 서로 막 들어오니 수사2반 소속 최 형사가 용의자를 심문하고 있었다. 취조실 앞에는 사토 서장을 비롯해 형사 몇 명이 서 있었다.

'김금만이잖아?'

강 형사는 옆에 서 있는 박 형사를 보며 눈짓했다. 박 형사가 어깨를 으쓱했다. 그 역시 의외라는 뜻이었다.

"조선 속담에 이런 말이 있다지? 등잔 밑이 어둡다. 그게 바로 자네들을 두고 하는 소리지 뭔가."

사토 서장이 취조실에 눈을 두며 강 형사 귀에 대고 속살거렸다. 강 형사는 귓불이 발갛게 달아올랐다. 사토 서장은 늘 이런 식이었다. 대놓고 야단치는 대신 비아냥거리며 자존심을 긁어

놓았다.

"박 형사, 이번엔 자네가 들어가 볼 텐가?"

사토가 박 형사를 물끄러미 바라보며 물었다. 박 형사는 목을 좌우로 꺾더니 취조실 안으로 들어갔다.

금만은 박 형사를 올려다보더니 이내 고개를 돌렸다. 장안에 이름난 건달답게 배짱이 좋았다.

"죽은 김정필을 번번이 협박했다던데, 뭣 때문이었냐?"

박 형사의 물음에 금만은 얼굴을 찌푸렸다.

"형사 나리, 오늘 날 새울 작정입니까요? 나 참, 몇 번이나 그걸 물어보는지 요 주둥이가 아파 죽겠습니다요!"

박 형사는 벌겋게 달아오른 얼굴로 탁자를 세게 내리쳤다.

"묻는 말에 얼른 대답이나 해!"

그러나 박 형사의 강경한 태도에도 금만은 아랑곳하지 않았다. 이런 일이라면 이골이 난 듯 태연히 말했다.

"글쎄, 두식이 형님이 대금업을 하고 있지 않습니까? 해서 그 영감을 만나 투자를 좀 하라 했습니다요."

"김정필한테 돈이 있는 건 어떻게 알았냐?"

"나 참, 그 영감이 금광 재벌이라는 건 장안에 있는 거지들도 다 알고 있어요. 몇 년 전 신문에 그 영감 낯짝이 큼지막하게 실리지 않았습니까요?"

박 형사는 그 기사를 기억하지 못했지만, 사건 직후 김 노인에 대한 이야기를 들었다. 김 노인은 어릴 적부터 억척스레 모은 돈으로 금광을 사서 일약 갑부가 된 사람이었다.

"한데, 말을 듣지 않으니까 협박하다가 다리를 찌른 거냐? 그것도 안 통하니까 아예 죽여 버린 거지?"

"말도 안 되는 소립니다요. 협박한 적은 있어도 절대로 죽이지는 않았어요. 내가 미쳤습니까? 쓸데없는 짓을 하게!"

"좋아. 한데 김 노인은 다리를 다치고도 왜 신고를 안 했을까? 신고하면 가만두지 않겠다고 네놈들이 또 협박한 거 아니냐?"

"어휴, 그 정반댑니다요!"

금만은 자세를 고치고 앉아 박 형사 쪽으로 얼굴을 바짝 들이밀었다.

"그 영감, 알고 보니 아주 지독한 사람이더라구요. 천하의 배두식이 누군지도 모르고, 죽기 얼마 전에 저희한테 찾아와 되레 협박했어요. 두목 배두식이 당장 나오라고, 고함을 고래고래 지르지 뭅니까요. 깁스한 다리를 이렇게 까 올리면서 말입니다요. 똘마니들이 말려서 두식이 형님을 만나지는 못 했어요. 한데 그 영감쟁이 하는 말이 가관이었지요. 다리 다친 걸 신고하지 않을

테니 대신 천 원을 내놓으라 했습니다. 기가 막혀서……. 전해 드
렸더니 우리 두식이 형님도 아주 질려 했다니까요. 왜 있는 놈들
이 더 무섭지 않습니까? 그 영감, 돈이라면 사족을 못 쓰는 노인
네였다고요."

박 형사는 금만을 뚫어지게 바라보았다.

"하면 수요일 저녁에는 어디 있었냐?"

"그제 말입니까요?"

박 형사가 고개를 끄덕였다.

"그러니까 명치정에서 놀다가 저녁 무렵에는 낙원정 사무실
에 들렀어요. 두식이 형님이 출타 중이라 좀 앉아 있다 밖으로
나왔어요. 그 근처 식당에서 동생들을 불러다 밥을 먹었구요. 밥
먹고 나와서는 다시 사무실로 들어갔어요. 뭐 할 일도 없고 해
서……."

"사무실로 다시 들어간 게 몇 시쯤이었냐?"

"8시쯤 됐나……?"

"흠, 9시까지 우미관 근처에서 얼쩡거린 건 아니고?"

"나 참, 정확한 시간을 어찌 압니까요! 사무실에 들어간 시간
이 대충 8시쯤 됐다, 그 말이지요."

박 형사가 기를 누를 양으로 다시금 탁자를 내리쳤다. 금만은

꿈쩍도 하지 않았다. 박 형사는 한숨을 푹 내쉬며 유리창 너머를 내다보았다. 밖에서 강 형사가 골이 난 얼굴로 그만 나오라고 손짓했다.

밖으로 나오며 박 형사가 혀를 내둘렀다.

"요즘 십 대들 무섭다더니, 딱 저런 새끼를 두고 하는 소리 같습니다. 열 받아서 원!"

강 형사가 재빨리 취조실 안으로 들어갔다.

"어이, 금만이 오랜만이네."

강 형사를 보자 금만은 잠시 얼굴빛이 달라졌다. 강 형사는 건달패들 사이에서 물귀신으로 통했다. 우락부락한 생김새가 언제 봐도 기를 꺾게 만들었다. 하지만 조직 생활 만 이 년을 채운 금만은 예전과 달랐다. 수갑 찬 양손을 탁자 위에 올려놓더니 허공을 향해 휴, 한숨을 내쉬는 여유를 보였다.

"네가 그제 밤에 관철정에서 김 노인을 죽였냐?"

강 형사는 앞뒤 생략하고 단도직입적으로 물었다. 금만을 응시하는 눈빛이 머릿속을 꿰뚫어 볼 듯 날카로웠다. 허튼소리를 지껄였다가는 혓바닥이라도 뽑아낼 기세였다. 금만도 지지 않았다.

"아이고, 강 형사님, 왜 이러십니까요? 제가 그제 밤에는 관철정 근처에도 얼씬하지 않았습니다요. 김정필인가 뭔가 하는 노인네 일은 참말 하나도 몰라요!"

금만은 얼굴이 벌게졌다. 억울해 죽겠다며 얼마 동안이나 호소하더니 강 형사를 바라보았다. 강 형사는 무뚝뚝한 얼굴로 금만의 눈을 응시했다. 그러나 금만의 눈빛에는 흔들림이 없었다. 그건 뭔가 혐의를 가진 자의 눈빛이 아니었다. 말하자면 거짓이 아닌 것이다. 강 형사는 직감적으로 그런 생각을 했다.

"어떤가? 김금만을 살해범으로 재판에 넘겨도 되겠나?"

취조실을 나오자 사토 서장이 기다렸다는 듯이 물었다. 금만을 범인으로 확신하는지 사토의 얼굴에는 희색이 돌았다. 사건 발생 사흘 만의 범인 검거라! 이건 정말 신문에 대서특필할 기삿감이었다. 대일본제국 경찰 만세! 아마 얄팍한 신문기자 놈들은 그렇게 헤드라인을 뽑을지도 모른다.

"서장님, 조금만 더 기다려 주십시오. 아무래도 좀 더 조사해 봐야 할 것 같습니다."

강 형사가 사토를 바라보며 말했다. 사토 서장은 금세 낯빛이 달라졌다. 불쾌한 기색을 감추지 못하고 입술을 이죽거렸다.

"그래? 하지만 얼마 전에 저자는 죽은 김 노인한테 상해를 입힌 혐의가 있지 않은가? 번번이 김 노인을 협박했다는 증언들도 있고. 게다가 그저께 밤 9시 무렵 현장부재를 증명할 수도 없지 않은가?"

사토 서장의 얼굴에 조바심이 묻어났다. 강 형사는 그의 얼굴을 바라보다 고개를 숙였다. 사토 서장은 누가 범인이 됐건, 하루빨리 사건이 해결되길 바라고 있을지도 모른다. 지난 부녀자 살인 사건을 해결하지 못한 게 그의 마음에 큰 짐을 지운 탓이었다. 무능력한 경찰이라는 오명이 두고두고 그의 가슴에 상처를 낸 것 같았다. 만약 이번 일까지 흐지부지되어 버린다면 민심의 동요가 일어날 게 뻔했다. 그렇게 되면 대일본제국의 위신을 크게 손상시키게 될 것이다. 이런저런 이유로 사토 서장은 이번 사건의 처리를 서두르는 눈치였다.

그러나 강 형사는 신념을 굽히지 않았다.

"하지만 저자가 범인이라는 확실한 증거도 나오지 않았습니다. 증거가 확보될 때까지 기다려 주십시오."

강 형사는 다시금 고개를 숙였다. 사실은 강 형사한테도 다른 방향으로 수사를 더 진행해야 할 만한 확신 같은 건 없었다. 그러나 김 노인의 마지막 행선지인 명치정 거리에 대한 답을 찾을 때까지, 수사를 멈출 수 없었다.

"으음, 자네 내 방으로 좀 들어오게나."

사토 서장이 성큼성큼 방으로 들어갔다. 강 형사는 묵묵히 그 뒤를 따라 걸었다.

"자네, 어쩨 좀 변한 것 같군."

사토는 의자에 앉으라는 눈짓을 하더니 강 형사에게 말했다. 강 형사는 의자에 앉아 멋쩍은 듯 사토를 바라보다 액자에 눈을 두었다. 사토 서장이 어린 아들 둘, 부인과 함께 찍은 사진이었다. 다홍빛 기모노 차림의 부인이 사토 서장 곁에 서서 수줍은 미소를 짓고 있었다. 참으로 단란해 보이는 가족이었다. 다시금 사토 서장을 바라보았다. 사토는 펜으로 테이블을 톡톡 두들겼다. 도대체 무슨 말을 꺼내려는 것인지, 종잡을 수가 없었다.

"아마 장가를 가서 그런 거겠지? 자네, 많이 부드러워졌어. 아니, 생각이 많고 섬세해졌다고 해야 할까? 아무래도 어여쁜 부인이 곁에 계셔서 그런 거겠지만."

강 형사는 벌겋게 달아오른 얼굴을 손바닥으로 문질렀다. 까칠한 피부에서 서걱거리는 소리가 났다.

"자네 부인이 아프다고 하던데, 요즘은 어떠신가?"

강 형사는 고개를 들고 사토 서장을 멀뚱히 바라보았다. 어떻게 알았을까. 아내는 벌써 한 달 넘게 앓고 있는 중이었다. 박 형사한테만 살짝 말한 기억이 났다.

"지금은 뭐…… 괜찮은 듯합니다……."

강 형사는 눈을 내리뜨며 얼버무렸다. 다시금 귓불이 발개지는 게 느껴졌다.

"신혼 때 아내가 아프다고 하는 건 빨리 들어오라는 소리야. 요 몇 달 전부터 자네, 너무 일에만 빠져 있는 것 같더라고. 얼굴도 핼쑥해지고."

사토 서장은 강 형사를 보며 짓궂게 싱긋 웃었다. 그러고는 책상 서랍을 열더니 봉투를 꺼내 내밀었다.

"이게 뭡니까?"

"내 자네 같은 사람이 있어 늘 든든하다네. 한데 일에 쫓기느라 가정을 돌보지 못하면 그건 내 책임이기도 하지. 그렇지 않나? 얼마 안 되네. 집에 들어갈 때 소고기 몇 근이라도 좀 사 가지고 가게."

"아, 아닙니다!"

"이건 자네한테 주는 게 아니야. 자네 부인한테 드리는 거라네. 상사라는 사람이 낯짝도 두껍지 뭔가. 부하 직원을 밤낮없이 부려 먹고 있으니 말이야. 그러니 아무 말 말고 받아 두게."

사토 서장은 눈을 찡긋하며 어서 나가라는 시늉을 했다.

서장실을 나오면서 강 형사는 새삼 사토라는 인물에 대해 생각해 보았다. 의뭉스러울 정도로 속을 알 수 없는 사람이었다. 마음을 빙 둘러 표현하는 것도 그의 그런 성격 중 하나였다. 그렇지만 때로는 속정이 깊어 부하 직원들을 감동시킬 때도 있었다. 부하 직원 자녀들이 학교에 입학하거나 아플 때 봉투를 건네주곤 했다. 또 상을 당한 경우, 무슨 일이 있어도 꼭 장례식장에 나타나 얼굴을 보였다. 몇 년 전에는 투자한 주식이 대박을 터뜨렸다며 부하 직원들에게 크게 술을 산 적도 있었다. 몇 년 전 일이었으나, 사토 서장은 온종일 주식 시세에 촉각을 곤두세우곤 했다.

소고기를 사 들고 가서 아내의 마음을 풀어 주라는 그의 말은 진심이었다. 그게 비록 부하 직원을 잘 다스려 일을 시키려는 계산일지라도, 그런 일본인 경찰 간부는 거의 없었다. 가정이 잘돼야 밖에서도 잘 풀린다. 그게 바로 그의 신념이기도 했다.

'그래, 오늘은 집에 일찍 들어가자.'

강 형사는 입가에 씁쓸한 웃음을 지었다. 그러나 박 형사에게 인사를 하고 사무실을 나올 때였다. 취조실에 앉아 있는 김금만을 보는 순간, 김 노인 사건이 다시금 퍼뜩 떠올랐다.

금만은 파김치처럼 축 늘어져 있었다. 비 오듯 흘러내린 땀 때문에 머리카락이며 셔츠가 흠뻑 젖었다.

'김금만은 아니야!'

강 형사는 또다시 그런 생각을 했다. 그 생각은 아까보다 더 강렬하게 들어, 지금이라도 당장 명치정 거리를 헤매고 싶었다. 명치정은 죽은 김 노인이 가려고 마음먹은 마지막 행선지였다.

강 형사는 채정란이라는 여자의 행방이 궁금했다. 김 노인이 살해된 날 하필 모습을 감춘 젊은 여자라니. 어쩌면 동재는 누나에 대해 거짓말을 했을지도 모른다. 그러니까 수요일 밤, 채정란은 집에 돌아오지 않았을지도 모른다. 오늘 찾아간 백화점에 그녀는 없었다. 미쓰코시백화점 신사부 감독이라는 남자가 다가와 말했다.

"정란 양은 이틀째 무단결근했습니다. 그제 저녁에도 한 시간 일찍 퇴근한 걸로 알고 있습니다."

2부

윤 병 교 향 곡

6

누나가 사라진 지 나흘째 되는 날이다. 동재는 눈을 뜨자마자 미쓰코시로 가서 누나를 만나 볼 생각이었다. 하지만 곧 그럴 필요가 없어졌다. 방문을 두들기며 누군가 찾아왔기 때문이다. 종로경찰서 형사였다. 오늘은 강 형사 혼자였다.

"왜 거짓말을 했지?"

강 형사는 패를 던져 놓고 동재를 빤히 바라보았다. 오늘 다시 찾아간 미쓰코시백화점에도 채정란은 없었다. 혹시나 해서 집으로 찾아왔으나 역시 그녀는 없었다. 채정란은 사건 당일 작정하고 어딘가로 사라졌는지도 모른다. 이런 추리를 할 수 있는 건, 역시 지난번 탐문 수사 때 느낀 동재의 표정 변화 때문이었다.

누나 이야기를 꺼냈을 때, 녀석은 느닷없이 낯빛이 어두워지면서 눈을 내리떴다.

동재는 천천히 고개를 들고 강 형사를 쳐다보았다. 강 형사의 말투에서 위협 같은 게 묻어난 건 아니었다. 그러나 마음을 꿰뚫듯 바라보는 눈빛에서 변명할 기분이 싹 가시고 말았다.

"사건 당일 날 밤, 그리고 어제와 그제 밤에도 정란 양은 집에 들어오지 않았어. 그렇지?"

강 형사는 자신감이 생겨 좀 더 세게 밀어붙였다.

동재는 문득 수십 개의 바늘에 찔린 듯 가슴에 통증이 느껴졌다. 그다지 사이가 좋은 남매지간은 아니었다. 그렇지만 부모님이 모두 돌아가신 뒤 서로를 의지하며 지낸 건 사실이었다. 동재가 고보를 때려치우고 부나비처럼 명치정 거리를 떠돌기 전까지, 남매 사이는 애틋했다. 더 어릴 적, 정란은 일 나간 어머니를 대신해 네 살 터울인 동재를 씻기고 먹이면서 키웠다. 그런 남매 간의 정이 결코 하루아침에 사라지는 건 아니었다. 정말로 동재는 누나의 부재에 두려움을 느꼈다. 하루도 아니고 연달아 나흘씩이나 집을 비운 적이 없었기 때문이다. 어쩌면 정란이 이대로 영영 사라져 버릴지도 모른다는 생각이 동재의 가슴을 먹먹하게 만들었다.

"맞습니다요. 그날 밤 이후 누나는 집으로 들어오지 않았어요."

"한데 왜 거짓말을 했나?"

동재는 잠시 침묵했다. 그 대상이 누구인지 알지 못한 채 왈칵 신경질이 솟구쳤다.

"형사님, 제가 왜 거짓말을 했는지 모르시죠? 행실이 좋지 못한 누나 이야기를 솔직히 말하고 싶은 동생이 세상에 어디 있겠습니까?"

동재는 어금니를 질끈 깨물었다. 그의 눈에 얼핏 눈물이 비치는 듯도 했다. 강 형사는 묵묵히 동재 이야기를 들었다.

"누나는 가끔 외박을 했어요. 누나가 밤새 뭘 하는지 저도 알 수가 없어요. 물어본 적이 없었으니까요."

동재는 눈을 내리뜨며 방바닥을 내려다보았다. 강 형사의 눈을 마주 보고 싶지 않아서였다. 또다시 발끈 화가 솟구쳤다. 모두다 그놈 때문이었다. 그놈을 만나면서 누나는 완전히 달라졌다. 옷차림에 몹시 신경 썼고 화장이 짙어졌다. 또 그놈과 헤어진 뒤에는 사교댄스에 빠져 허우적댔다. 성실하고 깍듯했으며 때로 도도했던 누나가 바람이 잔뜩 든 아가씨로 변했다. 누나는 하루가 멀다 하고 그놈이 준 선물 꾸러미를 손에 들고 들어왔다. 옷과 모자와 귀금속, 신발과 화장품들……. 선물을 꺼내며 웃음 짓던 누나를 볼 때면 동재는 기분이 언짢았다. 머지않아 누나가 깊은 수렁에 빠질지도 모른다는 생각에 조마조마하기까지 했다. 하지만 한편으론 창호지에 떨어진 물처럼 또 다른 생각이 스윽 번져 들었다. 잘나가는 누나에게 빌붙어 놀고먹는 인생을 살 수 있다면 바랄 게 없을 것 같았다. 그거야말로 동재가 바라던 최고의 인생이었으니까.

"뭐야, 내 건 없냐? 그 인간이 하나밖에 없는 동생 건 안 사 줬냐?"

언젠가 동재가 선물 가방을 들고 들어오는 정란에게 열을 내며 말했다. 정란은 상자에서 앙증맞은 구슬 손지갑을 꺼내다 어이가 없다는 듯 대꾸했다.

"꿈도 야무지다. 넘볼 걸 넘봐야지."

"그 인간, 주인 영감마냥 엄청 인색한 거 아니야?"

동재의 빈정거림에 정란이 구슬 지갑을 내려놓으며 말했다.

"너 자꾸 그 인간이라고 할래? 자상하고 참말 좋은 분이야."

동재야말로 어이가 없었다. 누나가 그놈한테 빠져도 단단히 빠졌다는 생각이 들어서였다. 안 그래도 어여쁜 누나의 얼굴이 나날이 화사해졌다. 눈부시도록 화사한 치장에 주인 영감이 눈살을 찌푸릴 때가 한두 번이 아니었다. 솔직히 말하자면 동재는 한몫 잘 잡은 누나가 부럽기 짝이 없었다. 그자와 결혼만 하면, 누나의 인생이야말로 세단이나 다름없을 테니까. 하지만 누나의 사랑은 오래가지 못했다. 젠장!

"으음."

강 형사는 내내 침묵으로 일관했다. 그러나 정란에 대해 호기심이 일어나는 건 어쩔 수가 없었다.

"누나에 대해 좀 더 말해 주겠나?"

동재가 입가에 조소를 띠며 강 형사를 바라보았다. 그렇게 일일이 따져 묻고 나면 당신 속은 시원합니까? 동재는 그렇게 묻고 싶은 걸 간신히 참아냈다. 강 형사의 얼굴에는 아무런 표정의 변화가 없었다.

"도대체 뭐가 궁금한 겁니까?"

"글쎄다……. 혹 누나한테 애인이 있었나?"

동재의 눈빛이 크게 흔들렸다. 치켜뜬 두 눈에 다시금 신경질이 배어들었다. 강 형사는 그 순간을 놓치지 않았다.

"흠, 우리 누나를 의심하는 것 같은데 헛다리 짚으셨어요. 누나가 주인 영감을 죽일 이유는 하나도 없어요. 다른 건 몰라도 그런 짓은 절대 저지르지 않는다구요! 아시겠어요, 형사님!"

"그건 내가 판단할 일이야."

"그럼, 알아서 하시든가요. 아무튼 저는 누나에 대해 아는 게 거의 없어요. 잘나가는 백화점 여점원인 건 알고 계시잖아요?"

"수요일마다 나갔다는 댄스 구락부는 어디쯤 있나?"

강 형사는 집요했다. 동재는 황당한 얼굴로 강 형사를 쳐다보았다.

"뭐, 경성 안에 있는 카페 아니겠어요? 나라에서 댄스홀을 허가해 주지 않으니, 요즘엔 다들 카페에 모여 춤을 춘다고 들었습니다요. 형사님, 저는 참말로 누나에 대해 잘 몰라요. 우린 서로 말도 안 하고 지냈다고요."

녀석의 말이 맞을지도 모를 일이었다. 동재는 정란에 대해 그다지 알고 있는 게 없는 듯 보였다.

"누나와 사이가 안 좋은 건가?"

"그, 그거야 뭐……."

얼버무리는 녀석의 귓불이 발갛게 달아올랐다. 물어보나마나 뻔한 일이었다. 백수건달로 못된 짓만 골라 하는 남동생이 누나 눈에 고울 리가 없었다. 녀석은 고보를 중퇴하고 나서 줄곧 백수로 지냈다. 양영달이라는 친구와 함께 주식도박에 빠져 허랑방탕한 생활을 하고 있다 했다. 모두 박 형사한테서 들은 이야기였다.

"실종 신고를 할 생각인가?"

강 형사가 묻자 동재는 고개를 가로저었다.

"그럴 것까지 없어요. 아마도…… 실종은 아닐 겁니다."

강 형사는 오늘은 이쯤에서 끝내기로 마음먹었다. 아무리 사이가 좋지 않아도 가족은 가족이었다. 가족한테서 나온 정보는 그다지 신빙성 있는 게 아니었다. 때문에 조서를 작성할 때 증인 자료에서도 제외된다. 이런 경우, 더 캐 봐야 상처만 줄 뿐 정보를 얻기는 어려운 일이었다.

아무튼 정란 양의 부재는 타의에 의한 실종은 아닌 듯 보였다. 가끔 외박을 했다니, 지금으로서는 실종이라고 단정 지을 이유가 없었다. 그렇다면 스스로 가출했다는 이야기인데…… 왜 하필 김 노인이 살해된 날 사라져 버렸을까……. 우연이라고 하기에는 역시 께름칙한 구석이 있었다. 사건이 발생된 지 며칠이 지나도록 모습을 보이지 않으니 그녀의 행방이 더욱 의심스러웠다. 또한 가출을 결심하면서 동생에게 말 한마디 남기지 않은 것도 의아했다. 어쩌면 계획되지 않은 가출이었는지도 모를 일이었다. 이를테면 갑작스럽게 몸을 숨겨야만 하는 상황 같은 것. 생각이 거기에 미치자 강 형사는 심장이 세차게 뛰기 시작했다. 채정란. 아무래도 그녀에 대해 샅샅이 조사해야 할 것 같았다.

강 형사는 다음에 또 찾아오겠다는 말을 남기고 방문 앞에서 벗어났다. 몇 발짝 걸어가는데 방문이 쾅 닫히는 소리가 났다. 강 형사는 뒤돌아 굳게 닫힌 방문을 바라보았다. 몇 마디 이야기를 나누는 중에도 동재는 몹시 예민해 보였다. 녀석은 누나를 미워하는 게 아니었다. 곤혹스러워하는 동재의 표정을 지켜보면서 강 형사는 내내 그런 느낌을 받았다. 상대를 미워한다면 보통은 그런 표정을 짓지 않는다. 그런데 시종일관 동재는 화를 냈다. 그리고 침묵하는 여백 사이마다 얼굴에 쓸쓸한 빛이 드리워졌다. 그건 바로 누나의 부재를 두려워한다는 증거였다. 동재는 정란을 몹시 걱정하고 있었다.

두 시간 뒤, 동재는 영달을 불러내 종로통 네거리로 나왔다. 새로 개장한 화신백화점 주위로 사람들 몇 명이 지나다녔다. 그뿐, 초가을 햇살이 내리쬐는 거리는 한산했다. 차림새가 초라한 중년 남자 두 명이 동재 옆을 지나갔다. 치장한 여자들은 모두 명치정 거리에서 노는지, 아예 코빼기도 내비치지 않았다.

"낯빛이 왜 그리 죽상이냐?"

영달은 눈치 하나는 빠른 녀석이었다. 내색하지 않았는데 금세 귀신처럼 알아맞힌다.

"그래 보이냐?"

"정란 누나랑 또 싸웠냐?"

동재는 피식 웃음을 흘렸다. 앙칼스러운 정란의 얼굴이 떠오른 탓이었다. 요사이 단 하루도 누나와 다정하게 지낸 적이 없었다.

'흠. 내가 네놈 꼴 보기 싫어서 언젠가는 휙 사라져 버리고 말 테야. 그땐 영영 사라지는 줄 알어!'

언젠가 말다툼 끝에 정란이 한 말이었다. 정란의 지갑을 뒤져 주식도박을 하고 들어온 날 밤이었다. 정란은 얼굴이 하얗게 질 릴 정도로 화가 나 있었다. 그렇게 지독한 말을 내뱉더니 며칠씩 이나 입을 꼭 다물고 지냈다.

"그러지 말고 당구나 치러 가자. 내기 당구 한판 치고 나면 기분이 좋아질 거야."

영달이 해죽거렸다. 녀석은 완전히 도박 중독이었다. 무슨 일 이든 내기부터 하려고 든다. 하긴 그런 증상은 동재 역시도 마찬 가지였다.

동재는 영달을 따라 네거리 골목에 있는 경성 구락부로 걸어 갔다. 십 분쯤 걸어가자 간판이 내걸린 상가 건물이 나왔다.

"어이, 양영달."

그때, 누군가 뒤에서 부르는 소리가 들렸다. 동재와 영달은 동시에 뒤를 돌아보았다. 덩치 좋은 남자 둘이 버티고 서서 영달을 쏘아보았다. 얼마 전에 한성파라에서 본 건달들이었다. 남자들은 처음부터 위협조로 나왔다.

"우리 큰 형님께서 널 좀 보자 하신다."

"저, 저를 왜 보자 하신답니까요?"

영달은 입술을 파르르 떨었다.

"참말 몰라서 묻냐? 네가 우리 두식이 형님 돈을 다람쥐 알밤 까먹듯이 쏙쏙 갖다 썼다 하던데, 어째 이자를 한 푼 안 내놓고 있냐?"

순간 동재는 눈앞이 샛노래졌다. 녀석이 물 쓰듯 펑펑 쓰던 돈은 모두 배두식한테서 나온 고리대금이었다. 게다가 동재도 이미 그 돈의 일부를 빌려 쓴 참이었다. 까닥했다간 덜미를 잡히게 생겨 먹었다. 동재는 다리가 후들거리기 시작했다.

"암말 말고 조용히 따라와."

그러고 나서 남자는 느닷없이 동재를 턱으로 가리켰다.

"네놈도 같이!"

"저, 저 말입니까요?"

"그래, 너! 네놈도 영달이 저놈한테 돈 꿔 썼잖아!"

동재는 거의 기절할 지경이었다. 놈들은 미끼를 던져 놓고 덥

석 물기만 기다린 것이다. 이대로 도망칠까, 잠깐 머리를 굴렸다. 그러나 우락부락한 놈들의 등짝을 바라보는 순간 그런 생각을 접었다.

골목길을 한참 걸어가더니 건달들이 왼쪽 골목으로 접어들었다. 허름한 골목에 약방과 이발관, 음식점들이 출입문을 활짝 열어 놓고 영업을 했다. 자전거포 옆을 지나자 건달들이 간판도 없는 건물 안으로 들어갔다. 2층으로 통하는 계단에는 먼지와 담배 꽁초들이 수북이 쌓여 있었다.

실내는 여느 사무실과 비슷한 분위기였다. 커다란 테이블을 사이에 두고 의자가 양쪽으로 나란히 놓여 있었다. 테이블 위에는 빈 술병과 유리잔, 음식물 찌꺼기들이 흩어져 있었다. 밤새 술판을 벌인 것이다.

"형님, 애들 데리고 왔습니다요."

남자가 사무실 방문 앞에 바짝 다가서서 말했다. 조금 뒤였다. 문이 열리면서 웬 거구의 남자가 걸어 나왔다. 동재와 영달은 입을 벌리고 코끼리처럼 커다란 남자를 쳐다보았다. 옆에서 남자가 말했다.

"배두식 형님이시다. 인사드려라."

동재와 영달은 자동으로 고개를 꺾으며 인사했다. 그러니까

지금 자신들이 종로통을 휘어잡는 깡패 두목 배두식 앞에 서 있는 것이다. 한눈에도 사람을 제압하는 기운이 동재와 영달을 옴짝달싹 못 하게 만들었다. 씨름 선수 못지 않은 거구 때문만이 아니었다. 첫눈에도 간덩이를 썰렁하게 만드는 매서운 눈빛 탓이었다.

배두식은 두 청년을 향해 앉으라고 손짓하며 의자에 앉았다. 육중한 몸이 의자에 털썩 내려앉았다. 배두식은 한 팔을 의자 팔걸이에 턱 내려놓았다. 희멀건 팔뚝 살이 몇 겹으로 접혔다. 투실하게 오른 살이 마치 이스트를 넣어 부풀어 오른 식빵 같았다. 배두식이 두 청년을 빤히 보더니 입을 열었다.

"네가 카페보이 영달이냐?"

걸걸한 목소리가 사무실 안에서 울렸다. 영달은 몸을 조아리며 서둘러 말했다.

"제, 제가 영달입니다요."

"월급 얼마 받냐?"

"시, 십 원 받습니다요."

"겨우 십 원?"

배두식이 미간을 찌푸렸다. 동재는 배두식을 힐긋 올려다보았다. 살이 뒤룩뒤룩 붙은 얼굴은 빛이 좋아 윤이 났다. 그러나 왼쪽 눈 밑에 움푹 파인 상처가 나 있었다. 족히 5센티미터는 돼 보이는 상처였다. 윤기 흐르는 낯빛에 도드라진 상처가 얼굴을 한층 더 살벌하게 만들었다. 틀림없이 칼에 맞은 자국일 터였다. 그의 얼굴을 보고 있자니, 동재는 그만 기가 질리는 기분이 들었다. 눈이 마주치자 재빨리 고개를 숙였다. 하지만 이미 늦었다.

"넌 이름이 뭐냐?"

배두식은 턱짓으로 동재를 가리키며 물었다.

"채, 채동재라고 합니다요……."

목소리가 사정없이 갈라져 나왔다. 어찌나 떨리는지 연신 이가 딱딱 부딪는 소리를 냈다.

"너, 양아치지?"

"아, 아닌데요……."

동재는 겨우 고개를 들고 대답했다.

"시치미 뗄 것 읎어. 우리 애들이 널 죽 지켜봤다더라. 종로통 명치정을 주름잡는 양아치라던데? 계집애들 희롱하고 꼬맹이들 돈이나 뜯어내면서 말이야. 게다가 내 이름까지 사칭한다면서? 참말 찌질한 놈이라고 짐작했지. 자식아, 놀려거든 크게 놀아야지. 그 꼴을 내가 봤으면 넌 그 자리에서 끼익!"

배두식이 갑자기 볼을 실룩거렸다. 눈빛에 노기를 띠더니 금세 온화한 모습으로 돌아왔다.

　동재는 순식간에 변하는 그의 표정을 질린 얼굴로 바라보다 침을 꼴깍 삼켰다. 하지만 입 안이 말라붙어 넘길 침도 없었다. 이내 배두식이 고개를 떨구며 앉아 있는 두 녀석에게 눈을 두었다. 걸걸한 저음으로 두 녀석에게 물었다.

　"어떠냐? 니들, 내 밑으로 들어올래?"

　동재와 영달은 화들짝 놀라 동시에 고개를 치켜들었다. 배두식은 의자 등받이에 비스듬히 기대고 앉아 두 청년을 꿰뚫듯 보았다. 다시금 이야기를 꺼내려는 참이었다.

　"형님, 형님! 큰일 났습니다요!"

　출입문이 벌컥 열리더니 남자가 뛰어 들어오면서 외쳤다. 순간, 배두식은 낯빛이 달라졌다. 불거진 눈알을 치뜨며 숨을 헐떡이는 남자를 매섭게 노려보았다. 또다시 순식간에 달라진 배두식의 모습에 동재와 영재는 오금이 저렸다.

　"이 새끼, 내가 지금 중요한 이야기를 하려던 참인데!"

　배두식이 목소리를 높였다.

　"형님, 지금 이러고 있을 때가 아닙니다요! 명치정 칠성파 놈들이 지금 황금정 낙화다방에 쳐들어와 행패를 부리고 있답니다요!"

남자의 얼굴에 굵은 땀방울이 흘러내렸다.

"뭐어!"

배두식이 버럭 소리를 질렀다. 얼굴이 검붉게 달아올랐다. 순식간에 테이블에 놓인 재떨이를 집어 들더니 그대로 남자를 향해 내던졌다. 남자가 재빨리 몸을 피하자 재떨이가 벽에 부딪혀 떨어져 내렸다.

동재는 심장이 멎을 것만 같았다. 누군가 목을 조르는 것처럼 숨 쉬기조차 버거웠다.

"칠성이, 많이 컸다. 피라미 같은 놈이 이젠 내 상권까지 처묵겠다! 이런 개샹늄의 새끼를 확 꼰질러 버려!"

배두식은 이를 악물며 주먹을 부르르 떨었다. 당장 경찰서로 찾아가 칠성이 놈이 한 짓을 까발리고 싶었다. 배두식은 놈이 조선취인소 관계자와 한패가 되어 주식 시세를 조작한 걸 알았다. 그 알짜배기 정보를 물고 온 건 언제나 그렇듯 금만이었다. 금만이 허구한 날 주식 도박판을 찾은 이유는 그 때문이었다. 큰 물고기를 낚으려면 미끼를 아껴서는 안 됐다. 성질이 불같은 배두식은 당장 김칠성에게 달려가 협박을 하려고 했다. 하지만 금만은 냉정했다. 놈을 더 높은 벼랑 끝에서 밀어 버릴 기회를 기다려야 한다고 말했다. 때를 기다려 경찰을 이용하자는 것이다. 생각할수록 그릇이 큰 녀석이었다. 영리할 뿐만 아니라 그 나이에 치밀함까지 갖춘 괴물이었다. 금만이 아니었다면, 늙고 몸이 불은 자신은 진작에 칠성이 놈한테 기어 들어가는 신세가 됐을지도 몰랐다.

"그래, 차분히 때를 기다려 보자고."

배두식은 혼잣말로 중얼거렸다.

"형님, 어떻게 할까요?"

잠자코 서 있던 남자가 고개를 조아리며 다그쳤다. 그러자 배두식은 이번에는 테이블에 놓인 유리잔을 내던졌다. 가까스로 유리잔을 피한 남자는 몸을 바싹 움츠렸다.

"새꺄, 어떻게 하긴 뭘 어떻게 해! 지금 당장 애들 불러다 족쳐놔야지! 알것냐?"

"예, 알겠습니다요!"

남자가 쿵쾅거리며 계단을 뛰어 내려가는 소리가 울렸다. 동재와 영달의 심장도 덩달아 쿵쾅쿵쾅 요란하게 뛰었다.

"야야, 금만이는 유치장서 언제 나온다냐? 금만이가 죄 없는 건 저 하늘이 다 알고 있어!"

배두식이 한쪽에 엉거주춤 서 있는 남자에게 물었다.

"고, 고것이 아직 잘 모르겠습니다요."

남자는 고개를 푹 수그렸다.

"이, 이런, 안팎으로 꽉 막혀부렀구먼!"

배두식은 난감한 얼굴을 하더니 두 녀석을 향해 천천히 눈길을 돌렸다. 다시금 그 따뜻한 눈빛이었다.

"뭣들 허냐, 애들한테 중국 요리 좀 시켜 주지 않고! 여기까지 오느라고 애간장이 탔을 것 아니냐. 배갈도 한 병 시키고!"

외치고 나서 배두식은 테이블에 놓인 말라비틀어진 오징어 다리를 잘근잘근 씹었다. 불도그처럼 축 처진 양 볼이 좌우로 쉴 새 없이 움직였다.

황혼이 질 무렵, 동재와 영달은 배두식한테서 벗어났다. 중국 요리를 먹고 나서 둘은 배두식이 따라 준 술을 한 잔씩 마셨다. 배갈이라는 중국 술은 어찌나 독한지 혓바닥에서 불이 나는 듯했다. 아직도 배 속이 홧홧거리면서 머리가 어질어질했다.

거리를 걸어가면서 영달은 잔뜩 들뜬 얼굴을 했다.

"히야, 이름만 듣던 깡패 두목 배두식을 코앞에서 다 보고! 두목, 참말 대단하지 않냐? 재떨이를 획 내던지는데 난 오줌 지릴 뻔했어. 얼굴에 난 칼자국 봤지? 아마 무시무시하게 큰 싸움에서 생긴 상처일 거다. 원래 깡패 두목은 자잘한 싸움에는 얼굴도 내비치지 않거든."

녀석은 마치 건달 세계에 몸담고 있는 것처럼 지껄여 댔다. 까만 눈동자가 유난히 반짝이며 빛났다. 동재로 말하자면, 아직 혼이 빠진 상태라 대꾸할 기운도 없었다.

"나, 배두식 밑으로 들어갈까 봐. 잘만 하면 김금만을 제치고 종로통 이인자가 될 수도 있잖아. 금만이가 감방에서 오래 살다 나와야 할 텐데……."

잠자코 있던 동재가 버럭 소리를 질렀다.

"미친놈! 배두식이 눈빛 못 봤냐? 사시미 칼끝보다 쨍하더라!"

"그래도 우리한테는 잘해 줬잖냐?"

"그거야, 무슨 꿍꿍이가 있는 거겠지. 그리고 누가 널 이인자로 만들어 준대?"

"히히…… 그런가?"

동재는 답답한 마음에 땅바닥을 세게 걷어찼다. 영달은 생각보다 훨씬 더 어리석은 녀석이었다. 누구 돈인지도 모르고 저놈한테서 날름 받아 쓴 게 잘못이었다. 엎친 데 덮친 격이라더니, 지금 자기 상황이 딱 그랬다. 그래도 건달패가 될 생각은 조금도 없었다. 돈 백 원 때문에 팔자에도 없는 건달 노릇을 하고 싶지는 않았다. 그런데 돈을 갚지 못하면 영락없이 깡패 두목 배두식 밑으로 들어가야 할 판이었다. 동재는 정란이 떠올랐다. 정란이

박 형사가 조바심을 냈다. 강 형사를 설득하지 못하면 발이 부르트도록 길바닥을 헤매고 다녀야 할 것이다. 매사에 완벽한 사람을 파트너로 두고 있으면 늘 심신이 고달픈 법이었다.

"김 노인을 협박해서 상해를 입힌 자는 김금만이야. 증인들도 모두 그렇게 말했고. 하니 배두식이 잡아떼면 우리도 어쩔 수 없어."

강 형사가 무뚝뚝하게 대꾸했다.

"아니, 둘을 대면시켜 놓으면 금만이가 실토할 수도 있지 않을까요?"

"흠, 모르는 소리. 금만이는 절대 그런 소릴 입 밖에 내지 않아. 차라리 살인죄를 뒤집어쓰고서라도 감방에서 지내는 게 낫다고 생각할 거야. 금만이한테 배두식은 거의 신과 같은 존재야. 그걸 꼭 의리라고 할 수는 없겠지만."

"그럴까요?"

배두식의 얼굴이 떠오르자 박 형사는 얼굴을 찌푸렸다. 그와 엮일 생각을 하니 할 수만 있다면 얼른 이 사건에서 발을 떼고 싶었다.

"자자, 잔말 말고 자네는 종로통부터 동대문까지 죽 돌아보라고. 다리를 다친 뒤로 김 노인이 외출할 땐 꼭 인력거를 탔다니까, 틀림없이 얼굴을 아는 인력거꾼이 있을 거야."

"형, 글쎄 난 오늘 저녁에 누굴 좀 만나러 간다니까요!"

박 형사가 싱긋 눈웃음을 쳤다.

"그놈의 아가씨는 밥 먹듯이 만날 만나러 다니는군. 얼른 마음 정해서 장가들 생각은 않고. 한데, 지금 연애질이 대수냐? 까닥 했다간 애먼 놈이 잡혀 들어가게 생겼어. 만날 하는 데이트는 다음으로 미뤄!"

"형도 참……. 한데 금만이가 범인이 아니라고 왜 그렇게 확신하는 겁니까?"

박 형사의 얼굴이 진지해졌다.

"아무리 생각해도 죽일 이유가 없잖아. 그 치들의 목적이 돈이었다면, 더군다나 죽여서는 안 되지. 만약 죽인다면, 김 노인이 궤짝에 숨겨 뒀다는 돈의 행방을 찾을 길 없을 테니까. 종로통을 누비는 천하의 건달이라도 그 정도로 무대뽀는 아니야."

듣고 보니 그럴 듯도 했다. 박 형사는 초조한 얼굴로 시계를 내려다보았다. 두 시간 뒤 명치정 카페에서 아가씨를 소개 받기로 했다. 여학교에서 미술을 가르치는 선생이라 했다. 그래서 오늘 아침에는 사 놓고 한 번도 입지 않은 양복을 꺼내 입었다. 머리에 포마드 기름을 발라 빗어 넘길 때에는 저절로 콧노래가 흘러나왔다. 결혼할 생각은 아직 없었으나 혹시 상대가 마음에 든다면, 이번엔 좀 오래 사귀어 보려고 마음먹은 터였다. 그렇지만 오늘은 약속을 지킬 수 없을 것 같았다. 종로통에서 동대문에 있는 인력거꾼들을 모두 탐문하려면 두 시간은 어림도 없었다.

박 형사는 못마땅한 얼굴로 앞서 걸어가는 강 형사를 뒤따랐다. 경찰서를 나오자 강 형사는 인사도 없이 대로변으로 휙 걸어 갔다.

"사람 참 무뚝뚝하기는……."

박 형사는 강 형사의 뒤통수를 바라보다 네거리 쪽으로 발걸음을 돌렸다.

날이 어두워질 무렵, 강 형사는 전차 정류장으로 걸어갔다. 명치정과 본정통 거리에 서 있는 인력거꾼들을 탐문했으나 모두 허탕이었다. 마지막으로 경성역으로 가 볼 생각이었다. 경성역은 기차에서 내리는 손님들을 태울 요량으로 인력거꾼들이 항상 대기하는 곳이었다.

남대문 정류장에서 내린 강 형사는 근처에 있는 설렁탕집으로 들어갔다. 일찍 들어오라는 아내에게 오늘은 어쩐지 전화를 해 두어야 할 것 같아서였다. 요즘엔 상점마다 전화가 없는 데가 없

었다. 공중전화보다 가격이 싸서 강 형사는 일부러 상점에 들어
가 전화를 했다.

설렁탕집 점원에게 삼 전을 건네주며 집으로 전화를 걸었다.
신호가 세 번 울리자 주인 할멈이 전화를 받았다. 아내를 바꿔
달라는 말에 예순 줄에 접어든 안주인의 목소리가 샐쭉했다. 보
지 않아도 귀찮아하는 얼굴을 하고 있을 게 뻔했다.

조금 뒤에 아내가 전화를 받았다. 아내의 목소리는 여느 때보
다 더 가라앉아 있었다. 아마도 주인댁 안채에서 전화를 받는 게
조심스러운 탓이었다.

"일 때문에 오늘 많이 늦을 것 같소."

송수화기를 타고 잠시 침묵이 흘렀다. 조금 있자 아내의 한숨
소리가 들렸다.

"오늘은 일찍 들어와 병원에 함께 가기로 했잖아요?"

아내는 꺼질 듯 희미한 소리를 냈다.

"못 걸어갈 정도가 아니면 지금이라도 혼자 다녀오시오."

강 형사는 벌컥 짜증이 치밀었다. 며칠 착실한 남편 노릇을 해
줬더니 아내는 더 응석받이가 된 것 같았다.

"그렇지만 어떻게 혼자 부인과를……."

"일 때문이라고 했잖소! 오늘 밤새도록 인력거꾼들을 탐문해

야 한다고! 이렇게 거리에 서서 말이오!"

설렁탕집 안에 있는 사람들이 강 형사를 올려다보았다. 강 형사는 멋쩍어 헛기침을 했다. 목소리를 낮춰 아이 어르듯 다시 아내에게 말했다.

"오늘 밤만 지나면 일찍 들어갈 수 있을 거요. 그러면 내일 같이 병원에 가 보자고."

"그럼, 아예 못 들어오신다는 말씀이에요?"

이번에는 아내가 신경질적으로 나왔다. 강 형사는 화가 나서 얼굴이 시뻘게졌다. 속이 꼬일 대로 꼬여 상처가 될지도 모르는 말을 쏟아내고 말았다.

"나 참, 집에서 빈둥거리면서 자꾸 일찍 들어오라고만 하면 어쩌자는 거요!"

전화가 끊겼는지 뚜뚜 신호음이 울렸다. 아내가 더 이상 대꾸도 않고 끊어 버린 것이다. 강 형사도 순간적으로 발끈 화가 났다. 그러나 설렁탕집을 걸어 나올 때는 아내에게 미안한 마음이 들었다. 아내는 한 달이 넘도록 기진맥진했다. 앉아 있기도 버거운지 창백한 얼굴로 자꾸 자리에 드러누울 생각만 했다.

"아무튼 남자든 여자든 할 일이 있어야지, 원!"

강 형사는 마음에도 없는 소리를 중얼거리며 설렁탕집을 나왔다.

저 너머로 둥그런 돔을 얹은 경성역 건물이 내다보였다. 붉은 벽돌에 화강암 띠를 두른 건물은 한눈에도 위압적일 정도로 거대했다. 어느새 거리에는 가로등이 켜졌고, 환한 거리를 사람들이 바삐 오갔다. 강 형사는 인력거가 나란히 서 있는 쪽으로 재빨리 걸어갔다. 스무 명쯤 되는 인력거꾼들이 기차에서 나오는 손님을 기다리며 잡담을 나누었다.

"종로서 강 형사라고 합니다. 혹 이런 사람을 본 적이 있습니까?"

강 형사가 인력거꾼들에게 다가가 사진을 꺼내 보이며 말했다. 인력거꾼들이 돌아가며 사진을 살펴보았다.

"글쎄…… 이 사람, 본 듯도 허고 아닌 듯도 허고……. 거참, 아리송하네그려."

인력거꾼이 고개를 갸웃거리며 다른 사람에게 사진을 건네주었다. 마지막으로 개중 제법 젊은 편에 속한 이가 사진을 유심히 살펴보았다. 하지만 이내 고개를 가로젓고 말았다.

강 형사는 속이 타들어 갈 지경이었다. 김 노인의 행선지를 파악하게 된다면 단서를 잡을지도 모른다. 방세를 받으러 다니는 곳을 샅샅이 조사했으나 세입자 중에 살인을 저질렀을 법한 사람은 나오지 않았다. 또한 평소 그와 어울리던 노인들을 모두 탐문 수사했으나 혐의가 가는 사람은 없었다. 그렇다면 다른 곳을 찾아야 할 텐데, 이제 인력거꾼들한테 기대는 방법밖에 없었다. 김 노인의 새로운 행선지를 찾아 그와 어울리던 사람들을 찾아내면, 뭔가 드러날지도 몰랐다.

그러나 몇 군데를 돌아다녀도 김 노인을 알아보는 인력거꾼은 없었다. 강 형사는 경성역 건물을 바라보며 담배를 피웠다. 2층 벽면에 걸려 있는 둥그런 시계가 저녁 9시 반을 가리키고 있었다.

세 개비째 담배를 피우는데 전차 정류장에서 사람들이 우르르 내렸다. 기차가 도착할 시간이 다가온 모양이었다. 양손에 짐을 든 사람들이 바삐 역 쪽으로 걸어갔다. 사람들 둘레로 인력거 두 대가 달려오는 게 보였다. 인력거꾼들이 땀을 뻘뻘 흘리며 경성역 건물을 향해 달려갔다. 강 형사는 담배를 비벼 끄고 인력거꾼들을 살폈다. 몹시 더운지 하나같이 소매며 바짓단을 몇 겹이나 접어 올린 채였다. 손님이 얼마나 재촉했는지 혀를 반쯤 내밀며 숨을 가쁘게 내쉬었다.

강 형사는 조금 앞서 멈춰선 인력거에 눈을 두었다. 극단 배우마냥 굵게 파마한 머리에 화려한 양장을 차려입은 젊은 여자가 인력거에서 내렸다. 쥐고 있던 손지갑에서 돈을 꺼내 삯을 치르더니 경성역 건물 안으로 총총히 들어갔다.

인력거꾼은 휴, 그제야 길게 숨을 돌렸다. 물을 한 모금 마시고는 또다시 손님을 찾아 두리번거렸다.

강 형사는 인력거꾼에게 다가갔다. 그러고는 김 노인의 사진을 보여 주며 물었다.

"혹 이런 사람을 태운 적이 있습니까?"

인력거꾼이 강 형사를 멀뚱히 바라보더니 곧 사진을 들여다보았다. 한참 사진을 보고는 역시 고개를 가로저었다.

"잘 좀 보세요. 대단히 중요한 사건이라 그렇습니다."

강 형사가 애가 타서 다그치는데, 뒤에서 다른 인력거꾼이 다가와 말을 걸었다.

"무슨 일입니까요?"

강 형사는 뒤돌아 그를 바라보았다. 중년의 인력거꾼은 얼굴이 새까맣게 그을려 있었다. 인력거 끄는 일을 얼마나 했는지 두 다리가 짱짱했다. 한 보쯤 떨어진 곳에서도 시큼한 땀내가 물씬 풍겼다.

"사람을 찾고 있습니다. 혹 이 사람을 본 적이 있습니까?"

강 형사는 거의 체념하면서 인력거꾼에게 사진을 내밀었다. 인력거꾼이 사진을 보는 사이 강 형사는 담뱃갑에서 담배를 한

개비 꺼냈다.

"아!"

인력거꾼이 짧게 소리를 질렀다. 강 형사는 담뱃갑에 담배를 도로 집어넣고 인력거꾼 옆으로 바짝 다가섰다.

"이 노인을 본 듯합니다요. 한데 예가 당최 어두워서 저쪽으로 가 자세히 봤으면 합니다요."

강 형사는 긴장한 얼굴로 인력거꾼을 따라 불빛이 쏟아지는 건물 쪽으로 걸어갔다.

"맞구만요! 이 노인네라면 본 적이 있어요!"

인력거꾼이 무릎을 탁 치며 말했다. 강 형사는 심장으로 뜨거운 기운이 훅 끼쳐드는 걸 느꼈다. 일이 제대로 풀릴지도 몰랐다.

"어디서? 어디서 봤습니까?"

"에, 그러니까 보름 전쯤 동대문 골목길에서 인력거를 탔습니다요."

"그래요? 한데 어찌 이 노인을 그리 잘 기억합니까?"

"그날은 하루 종일 비가 말도 못하게 쏟아졌거든요. 비가 그리 쏟아지니 거리에 사람 발길이 뚝 끊겨 버렸지 뭡니까요. 하여 땡전 한 푼도 못 벌고 그만 집으로 들어가려고 했습지요. 한데 밤 8시 반이나 되었을까. 동대문 골목에서 이 노인이 절뚝거리며 나

오더니 저를 불렀습지요. 얼마나 반갑던지, 노인네가 꼭 옥황상
제 같았다니까요!"

"어디로 가자고 하던가요?"

"그게 아마 명치정으로 가자고 했을 겁니다요."

"명치정이요?"

강 형사는 화들짝 놀라 되물었다. 인력거꾼이 의아한 얼굴로
강 형사를 쳐다보았다. 강 형사는 눈을 치뜨며 다그쳐 물었다.

"자세히 좀 말해 주세요. 명치정 어디쯤이라고 하던가요?"

인력거꾼이 한풀 꺾인 목소리로 말했다.

"글쎄요…… 자세히 기억은 안 나지만…… 황금정 일본은행을
달리다가 동양척식주식회사 앞을 지나다 우회전을 했던가? 아무
튼 그 근처 어디쯤에서 손님이 내린 것 같습니다요."

"명치정에 도착한 시간은 몇 시쯤이나 됐습니까?"

"빗길이라 아무래도 한 시간은 족히 걸렸던 것 같습니다요."

"그럼 9시 반이 조금 넘었다는 말이군요?"

"그렇습지요."

"네, 잘 알겠습니다. 수사에 큰 도움이 될 듯합니다."

강 형사가 고개 숙여 인사를 건넸다.

"형사님, 헌데 사진 속에 있는 노인이 지난번에 살해당했다는

사람입니까요?"

강 형사가 의아한 얼굴로 인력거꾼을 바라보았다.

"우리 같은 사람들이야 장안의 소식통 아닙니까요? 모르긴 해
도 경성 사람들한테 소문이 벌써 쫙 퍼졌을 겁니다요."

강 형사는 입을 꼭 다물고 고개를 끄덕였다. 사토 서장의 심정
이 충분히 이해가 갔다. 사건이 빨리 해결되지 못하면 여론이 가
만있지 않을 것이다.

"쯧쯧. 남한테 칼 맞게 생겨 먹은 사람 같지는 않았는데……."

강 형사는 인력거꾼의 말을 흘려들으며 시계를 올려다보았다.
10시가 다 된 시간이었다. 여덟 시간 넘게 거리를 헤맨 보람이
있었다. 내일은 동양척식주식회사와 명치정 골목을 샅샅이 뒤져
김 노인의 행선지를 찾아야 할 것이다.

어깨에 짊어진 짐을 반쯤 내려놓은 것 같은 기분이 들었다. 홀
가분하게 전차 정류장을 향해 걸어가는데, 저만치 떨어진 곳에
서 박 형사가 보였다.

"형!"

박 형사가 아는 체를 하며 달려왔다.

"종로통하고 동대문 쪽을 다 돌아봤는데, 결국 허탕 쳤어요."

강 형사가 여유 있게 말했다.

"그쪽은 됐고. 내일부터 황금정 명치정 거리를 샅샅이 뒤질 생각하게. 황금정 입구 동양척식주식회사 뒷골목이야. 알겠나!"

"아, 인력거꾼을 찾았군요. 넵!"

박 형사가 호기를 부리며 경례를 했다. 강 형사는 입가에 웃음을 지으며 전차 전류장으로 걸어갔다.

전차에 오르자 강 형사는 순식간에 피로가 몰려왔다. 머릿속은 여전히 김 노인 사건 생각뿐이었다. 김 노인은 명치정 거리를 주기적으로 다녔는지도 모른다. 그것도 밤 9시 반 무렵쯤 해서. 내일 김 노인의 행선지를 찾게 되면 좀 더 많은 걸 알게 될 것이다. 강 형사는 손가락으로 눈두덩을 지그시 눌렀다.

전차가 남대문을 지나 조선은행 앞을 지나고 있었다. 강 형사는 고개를 돌려 불 꺼진 미쓰코시백화점을 쳐다보았다. 낮의 화려함과는 달리 어둠 속에 갇힌 백화점 건물은 거대한 괴물처럼 으스스했다. 커다란 입으로 욕망에 가득 찬 사람들을 한입에 꿀꺽 집어삼키는 괴물의 형상. 어쩌면 밤의 미쓰코시야말로 이 도시의 진짜 모습일지도 모른다는 생각이 들었다. 아무튼 내일은 다시 저곳에 가서 채정란에 대해 알아봐야 했다. 실종된 미쓰코시백화점 여점원이라……. 강 형사는 집요하게 파고드는 생각을 떨쳐 버릴 양으로 양쪽 관자놀이를 꾹꾹 눌렀다.

전차가 명치정과 황금정 거리를 지나 종로통으로 들어섰다. 옛 조선중앙일보 정류장에서 내린 뒤 강 형사는 견지정 쪽으로 걸어갔다. 좁은 골목길로 들어갈 참인데, 아직 환하게 불을 밝힌 고깃간이 눈에 들어왔다. 비로소 강 형사는 사토 서장의 말이 떠올랐다.

"소고기를 사 가야겠군."

강 형사는 소고기 한 근을 사 들고 모처럼 기분 좋게 집으로 들어갔다. 대문을 열고 마당으로 들어서는데, 집 안이 이루 말할 수 없이 고요했다. 안채에서 흘러나오는 불빛에 의지해 세 들어 살고 있는 행랑채로 걸어갔다.

헛기침을 하고 나서 방문을 열었다. 그러나 방 안에 아내가 없었다. 짙은 어둠 속에서도 방 안이 비어 있다는 걸 알아차렸다.

이윽고 전등을 켰다. 방 안은 언제나처럼 깔끔하게 정돈되었다. 만날 아프다면서도 아내는 성격상 지저분한 꼴을 보지 못했다. 화장대 위에 놓인 쪽지가 눈에 들어왔다. 강 형사는 의아한 얼굴로 쪽지를 집어 들었다. 쪽지를 읽어 내려가는 얼굴이 차츰 일그러졌다. 아내는 몸이 너무 아파 친정에서 며칠 쉬다 오겠다는 글을 남겼다.

"이런, 멍청한 여자를 봤나! 아프면 병원으로 갈 일이지……."

반쯤 비어 있는 옷장을 열어 보면서 강 형사는 몹시 곤혹스러운 표정을 지었다.

8

  이튿날, 강 형사는 과자점에 들러 과자를 사 들고 전차에 올라
탔다. 남대문통에 있는 아내의 친정으로 가는 길이었다. 박 형사
한테는 외근을 한다 일러두고, 동양척식주식회사 근처를 샅샅이
뒤지라는 말을 다시 한번 남겼다.

  전차가 종로통 네거리 화신백화점 옆을 지나고 있었다. 강 형
사는 무심코 차창 밖을 내다봤다. 잠을 설친 탓에 눈자위에 핏발
이 서 있었다. 기와집들이 즐비한 거리에 우뚝 솟아 있는 화신백
화점은 모난 돌처럼 어색하기 짝이 없었다. 종로통은 아직 구시
대의 모습이 남아 있는 밋밋하고 단조로운 거리였다.

  광통교 근처를 지날 무렵, 강 형사는 아내의 창백한 얼굴이 떠

올랐다. 요사이 아내는 잘 먹지도 못하고 자꾸 앓아누웠다. 시도
때도 없이 잠만 자려는 걸 보면 어디 큰 병이라도 걸린 게 아닌
지, 새삼스레 걱정이 되었다. 그렇지만 한편으로 아내에게 서운
한 생각이 들었다. 아무리 시대가 변했다지만 짐 싸 들고 친정으
로 달아나 버리는 아내를 도무지 이해할 수가 없었다.

　광통관을 지나자 저 멀리 식산은행과 조지야백화점 건물이 보
였다. 전차가 명치정 거리에 이르자 사람들이 우르르 내렸다. 강
형사는 고개를 들고 확 트인 거리를 내다보았다. 그사이 전차는
속력을 내며 어느덧 조선은행과 경성우편국 정류장에서 멈춰 섰
다. 미쓰코시백화점이 눈에 들어오는 순간이었다. 강 형사는 불
쑥 자리에서 일어나 사람들을 따라 그대로 전차에서 내렸다. 장
인 댁으로 간다는 생각이 머릿속에서 하얗게 지워지면서 무작정
미쓰코시에 들러 볼 생각에 빠지고 말았다.

　강 형사는 자신의 행동에 어이가 없어 고개를 흔들었다. 백화
점을 향해 몇 발짝 걸어가는데, 과자가 든 봉투를 두고 내렸다는
생각이 들었다. 뒤돌아보니 전차는 이미 남대문통을 향해 멀찌
감치 달려갔다.

　강 형사는 멈춰 서서 쓴웃음을 지었다. 그러고는 찻길을 건너
미쓰코시백화점을 향해 걸어갔다. 그렇지 않아도 오후에는 이곳

에 들를 생각을 하던 참이었다.

3층 신사부 매장에는 전에 봤던 여점원이 서 있었다. 여점원은 강 형사를 알아보고는 미간을 살짝 찌푸렸다.

"이거 일하는데 미안합니다. 채정란 양에 대해 좀 더 알아볼게 있어 찾아왔습니다."

여점원이 새침한 얼굴로 눈을 내리떴다.

"보시다시피 지금 막 영업을 시작하는 중이라 곤란해요. 감독님이 보시면 호통을 치실 거예요."

여점원이 옷걸이에 걸어 놓은 옷들을 정리하며 말했다. 빨리 좀 가 달라는 뜻이었다.

"하면 언제쯤 시간을 낼 수 있습니까? 괜찮다면 옥상 정원 카페에서 기다리고 있겠습니다."

강 형사가 깍듯이 말했다. 여점원도 어쩔 수가 없는지 짧은 한숨을 내쉬었다.

"점심때쯤 잠깐 시간을 낼 수 있을 것 같군요."

여점원은 잠깐이라는 말을 강조했다. 강 형사는 눈인사를 건네고 나서 옥상 정원으로 올라갔다.

가을볕이 내리쬐는 옥상 정원은 차려입은 사람들로 만원을 이뤘다. 강 형사는 커피 한 잔을 시켜 놓고 백화점 건물 꼭대기에

서서 아래를 내려다보았다. 맞은편으로 조선은행과 부립도서관, 반도호텔이 보였다. 오른쪽으로 고개를 돌려 우뚝 솟은 경성우편국 주위를 천천히 둘러보았다.

주위 경관을 한눈에 내려다보며, 강 형사는 왜 젊은 사람들이 그토록 명치정 거리에 열광하는지 알 것 같았다. 하늘을 찌를 듯 높게 솟구친 건물과 매끈한 거리를 보면서 그들은 열망을 품고 있었다. 말하자면 그건 새로운 것, 부에 대한 열망이었다.

강 형사는 파라솔이 둘러쳐진 테이블로 가 앉았다. 의자 등받이에 등을 기대고 앉아 수족관에서 놀고 있는 물고기들한테 눈을 두었다. 금빛 은빛 나는 물고기들이 지느러미를 흔들며 끊임없이 헤엄쳐 다녔다.

"이곳엔 참말 없는 게 없군!"

미간을 찌푸리며 미지근한 커피를 홀짝였다.

두어 시간이 지나자 그 여점원이 나타났다. 여점원은 화장을 고쳤는지 얼굴이 아까보다 더 화사했다.

"바쁘신데 이거 참말 죄송합니다."

강 형사는 자리에서 일어나며 다시금 인사말을 건넸다. 여점원은 멋쩍은지 입가에 엷은 미소를 지었다.

"정란 양에 대해 물어보고 싶은 말씀이 뭐죠?"

여점원은 바쁜 마음에 서둘러 물었다.

"정란 양을 찾아오는 사람이 있었습니까? 손님이거나 아니면 다른 사람이거나."

"솔직히 정란 양에 대해 잘 몰라요. 정란 양하고는 이곳 백화점에서 일하는 동료 직원 그 이상은 아니었거든요. 게다가 워낙 말이 없는 사람이라서……."

"그래도 따로 찾아오는 사람을 본 적은 있었겠지요?"

여점원은 잠시 생각하더니 말했다.

"한 사람이 있기는 있었어요."

"그 사람이 누구입니까?"

다그치듯 묻는 말에 여점원은 난감한 표정을 지었다. 습관인 듯 짧은 한숨을 내쉬더니 입을 열었다.

"김한영이라는 경성 갑부였어요."

강 형사의 눈이 휘둥그레졌다.

"동성방직 사장 말입니까?"

여점원이 고개를 끄덕였다. 강 형사는 언젠가 그를 신문에서 본 기억이 났다. 기사에는 스물다섯 나이에 성공적으로 기업을 이끄는 인물이라고, 김한영을 소개했다. 사진이 실려 있었으나 지금은 얼굴이 떠오르지 않았다.

"처음에는 신사부에 옷을 사러 와서 만나게 된 걸로 알고 있답니다. 하지만 뭐, 일 년도 넘게 지난 일인걸요. 두 사람은 이를 테면……."

머뭇거리는 여점원의 얼굴을 보면서 강 형사는 두 사람의 관계를 짐작했다.

"두 사람이 사귀었다는 말씀이군요."

"그래요. 김한영 사장이 이틀이 멀다 하고 이곳엘 찾아왔어요. 양손에 선물을 가득 들고 말이지요. 갑부와 연애를 한 덕에 정란 양은 나날이 세련돼졌어요. 때문에 여점원들 사이에서 은근히 시기를 받기도 했지요."

"일 년이 넘은 일이라면, 지금은 두 사람이 헤어졌다는 말씀입니까?"

강 형사의 물음에 여점원이 고개를 끄덕였다.

"왜 헤어졌지요?"

"아마도 김한영 사장이 약혼을 했기 때문일 거예요. 신문 한 귀퉁이에 기사가 났거든요. 때문에 정란 양은 몹시 풀이 죽어 있었어요. 마음이 많이 힘들었겠지요. 그런 소릴 입 밖에 낸 적은 없지만요."

"아니, 그자가 정란 양을 사귀면서 다른 여자와 약혼했단 말입니까?"

"네. 집안이 그리 대단한 사람이니 아무 여자하고나 결혼을 하지 않겠지요."

아무 여자라는 말이 강 형사의 귀에 거슬렸다. 강 형사는 입을 다물고 여점원을 바라보았다.

"정란 양은 속을 알 수 없는 아가씨였어요. 말수가 적으니 당연하죠. 또 자존심이 얼마나 센지 몰라요. 저 같으면 울고불고 난리를 피웠을 터인데, 핼쑥한 얼굴로 아무렇지 않게 일을 했어요. 하긴, 먹고살아야 하니까요. 하지만 김한영 사장과 끝내고는 좀 방황하는 것 같았어요. 무슨 일인지 늘 바빠 보였지요. 정란 양은 저뿐만 아니라 다른 점원들하고도 잘 어울리지 않았어요. 그런 일을 당하고 난 뒤에는 더 외톨이가 되었지요."

이야기를 듣고 보니 강 형사는 채정란에 대해 호기심이 더욱 일었다.

"저…… 이제 그만 들어가 봐야 할 것 같은데……."

여점원이 난처한 얼굴로 카페 벽면에 걸린 시계를 바라보았다.

"아, 네, 이거 참말 감사합니다."

강 형사가 인사를 건넸다. 여점원은 고개 숙여 인사를 하고 나서 출입문 쪽으로 걸어갔다. 여점원의 뒷모습을 바라보면서 강 형사는 얽힌 머릿속을 정리했다. 일 년 전쯤 채정란은 동성방직 사장 김한영과 연애를 하다 헤어졌다. 헤어진 이유는 김한영이 약혼을 했기 때문이라고 했다. 지금 채정란은 사라지고 없다. 그런데 김한영은 채정란이 사라진 걸 알고 있을까. 어쩌면 그 사실을 김한영이 알고 있을지도 모른다는 생각이 들었다. 미련이 남은 연인 관계였다면, 그 정도의 안부는 서로 알고 지낼지도 모를 테니까. 강 형사는 자리를 털고 일어났다. 일단 서로 들어가 박 형사를 만나야 할 것 같았다.

늦은 점심을 먹고 서로 돌아가 두 시간쯤 지나자 박 형사한테서 전화가 걸려 왔다.

"형, 김 노인이 다니던 곳을 찾아냈어요. 명치정1정목에 있는 아그네스라는 카페예요."

강 형사는 졸음이 확 달아났다. 서장실을 의식하며 송수화기에 귀를 바짝 갖다 댔다.

"확실한 건가?"

"예, 확실해요. 김 노인이 종종 그곳에 와서 술을 마시고 마작을 했대요."

"마작?"

갈수록 이해할 수가 없는 노인이었다. 천하에 없는 구두쇠가 비싼 술을 마시며 마작을 했다니. 강 형사는 갑자기 머릿속이 복잡해졌다.

"어떻게 할까요?"

"으응. 자네는 일단 서로 들어와."

강 형사는 전화를 끊고 나서 한동안 창밖을 응시했다. 가을 햇살이 종로경찰서 마당을 따사롭게 내리쬐었다. 제복 경찰 두 명이 햇살을 받으며 마당을 재빨리 걸어갔다.

"아그네스 카페라……."

강 형사는 무심코 중얼거렸다. 상호만 들어도 고급 카페라는 느낌이 들었다.

웃옷을 집어 들고 서둘러 경찰서 건물을 나왔다. 도로를 가로질러 전차 정류장을 향해 걸었다.

동성방직 회사는 영등포에 있었다. 이만 평이 넘는 부지에 커다란 공장이 들어서 있었다. 출입구에서부터 직조 기계 소리가 요란하게 울려 퍼졌다. 강 형사는 경비원에게 경찰 배지를 보여주며 용건을 말했다. 경비원이 어리둥절한 얼굴로 사장실에 전화를 넣었다.

김한영은 2층 사무실에 있었다. 형사의 방문에 놀랄 법도 한데 뜻밖에도 차분히 강 형사를 맞이했다. 첫눈에도 말쑥하게 잘

생긴 남자였다.

"최 양, 여기 커피 두 잔 부탁해."

김한영은 생각보다 상냥한 남자였다. 경성 안에서 손꼽히는 부자이면서도 조금도 거만한 티가 없었다. 그런 인품 때문에 채정란이 마음을 주었는지도 모른다.

"형사님께서 어인 일로 절 보자고 하십니까?"

커피를 한 모금 마시고 나서 김한영이 먼저 말을 꺼냈다. 강형사는 사무실 안을 살피다 김한영의 얼굴을 바라보았다. 동그란 안경 알 속에 있는 두 눈이 차가워 보일 정도로 차분했다.

"채정란 양을 알고 계시지요?"

강 형사가 물었다. 비로소 김한영의 눈빛이 흔들렸다. 곤혹스러운 표정을 짓더니 강 형사를 잠자코 바라보았다.

"아는 사람입니다만 무슨 일로 그리 묻습니까?"

"채정란 양이 얼마 전에 실종됐습니다. 아시는 바가 있는가 싶어 찾아왔습니다."

순간, 김한영이 눈을 동그랗게 치떴다. 처음 듣는 이야기인 게 분명했다. 강 형사는 실망스러운 기분이 들었다.

"정란 양한테 그런 일이 있었군요……. 허나 난 지금 처음 듣는 이야기입니다. 실종이라니, 너무 놀랍습니다."

"정란 양이 어떤 사건에 연루된 듯해서 행방을 찾는 중입니다."

"그게 어떤 사건이지요?"

"그건 말씀드릴 수가 없습니다. 확실한 증거가 나오지 않아서 말입니다."

김한영은 다시금 커피를 한 모금 마셨다. 커피 잔을 쥔 손끝이 잘게 떨리고 있었다. 옛 연인의 실종 소식에 몹시 충격을 받은 모양이었다.

"혹 수사에 도움이 될까 싶어 몇 가지 여쭙겠습니다."

김한영이 말없이 고개를 끄덕였다.

"채정란 양하고는 어떤 사이였습니까?"

어느덧 김한영의 얼굴에 쓸쓸한 빛이 드리웠다. 숨을 길게 내쉬더니 가라앉은 목소리로 이야기를 꺼냈다.

"정란 양하고는 일 년쯤 만났습니다. 우린 서로 사랑하는 사이였지요. 그렇지만 난 다른 여자와 약혼을 하게 됐답니다. 집안에서 오래전에 정해 놓은 여자였어요."

강 형사가 말없이 고개를 끄덕였다.

"파혼하고 싶었으나 아버님께서 워낙 완고하신지라……. 어쨌든 정란 양한테는 몹쓸 짓을 하고 말았습니다. 그 뒤로는 정란 양을 만나는 게 고통 그 자체였어요."

"집안에서 두 사람 관계를 알았던 겁니까?"

"아니요. 나와 정란 양 사이의 문제였습니다. 정란 양은 내가 파혼하길 바랐어요. 그런 식으로 만나는 걸 몹시 괴로워했지요. 빨리 파혼하지 않으면 더 이상 만나 주지 않겠다고 어깃장을 놓았습니다."

강 형사는 잠자코 이야기를 들었다.

"허나 난 그럴 수가 없는 처지였지요. 요즘엔 연애결혼을 하기도 한다지만 그건 사실 몇몇 사람들한테나 해당되는 일입니다. 이런 표현이 적절할지 모르겠지만, 미안한 마음에 물질적으로 정란 양에게 보상을 해 줬답니다. 여자들이 좋아하는 것들을 사 줘서 마음을 달래 줬지요."

"그런데도 정란 양이 만족하지 않았다는 겁니까?"

"네, 정란 양은 끝내 헤어지자고 하더군요. 그럼 내가 파혼할 테니 조금만 기다려 달라고 애원했답니다. 그렇게라도 해서 정란 양과의 관계를 좀 더 지속시키고 싶었어요. 하지만 이번에는 속지 않겠다면서 정란 양은 날 만나 주지 않았어요."

거기까지 말하고 김한영은 침묵했다. 안경알 너머 그의 눈 속에 아픔이 배어들었다. 강 형사는 고개를 돌려 그를 외면했다.

"저, 그 후로 정란 양을 다시 만난 적은 없었습니까?"

강 형사가 다시금 어렵사리 말을 꺼냈다. 김한영은 무언가 생각하더니 얼굴을 일그러뜨렸다. 뭔가 좋지 않은 일을 떠올리는 것처럼 보였다.

"네, 정란 양을 딱 한 번 더 거리에서 만났습니다. 정확하게 말하자면, 내 쪽에서 우연히 그녀를 본 거지요."

김한영이 말을 꺼냈다. 강 형사는 자세를 고쳐 앉으며 물었다.

"거리에서요?"

"네, 야심한 밤에 카페에서 걸어 나오는 모습을 봤습니다. 혼자가 아니었답니다. 남자와 함께였습니다. 그 상대를 보고 얼마나 실망했는지 모릅니다."

"무엇 때문에 그리 실망했는지요?"

"상대는 예순은 넘어 보이는 노인이었어요. 정란 양이 그 노인 팔짱을 끼고 다정하게 걸어가더군요."

"팔짱을 끼고요?"

"어두워서였는지, 아니면 내 마음이 어수선해서였는지, 아무튼 정란 양은 그 노인 몸에 착 달라붙어 있었죠. 마흔 살도 더 차이 나 보이는 늙은이 곁에서 말입니다. 그때 나도 정이 뚝 떨어지고 말았어요. 잠시나마 사랑했던 여자가 행실이 저러하다니,

하는 생각에 서러운 마음까지 들더군요. 이제 다시는 그녀를 찾지 않기로 결심했지요."

그때 일이 떠올랐는지 김한영의 얼굴이 분노로 발갛게 달아올랐다.

"그렇지만 김 사장님께서도 정란 양과 결혼할 마음은 없지 않았습니까?"

강 형사의 냉정한 물음에 김한영이 강 형사를 빤히 보았다. 조금 뒤 김한영은 순순히 고개를 끄덕였다.

"그렇지요. 그러니 누굴 원망하겠습니까? 모두 내 탓인걸요."

"한데 그 노인이란 사람이 어떻게 생겼는지 기억하십니까?"

"글쎄올시다……."

김한영이 뜸을 들이더니 입술을 이죽거리며 말했다.

"어둡고 경황이 없어 자세히는 모르겠으나, 꽤나 초라한 몰골을 하고 있었던 것 같았습니다."

강 형사는 몸이 달아 재빨리 질문을 던졌다.

"좀 더 구체적으로 설명해 주시겠습니까? 가령, 옷차림이나 인상착의 같은 걸."

"흰 저고리에 중절모를 쓰고 있었습니다. 명치정을 드나드는 사람치고는 행색이 몹시 초라했어요."

강 형사는 심장이 세차게 뛰는 걸 느꼈다. 흰 저고리에 중절모라면 사건 현장에서 본 김 노인의 모습 그대로였다. 강 형사는 긴장한 모습을 감추기 위해 커피를 한 모금 들이켜고 나서 다시금 물었다.

"두 사람이 있었던 카페 이름을 기억하십니까?"

"그게…… 동양척식주식회사 뒤쯤 되는 듯합니다만, 상호까지는……."

혹시나 했는데 예감이 맞아떨어졌다. 정란은 김 노인과 아그네스 카페를 출입했던 것이다.

"한데 아까 말한 사건이란 게 혹 그 노인과 관련된 것입니까?"

김한영이 눈빛을 예리하게 빛내며 물었다.

"죄송합니다. 그건 아직 말씀드릴 수가 없습니다."

강 형사가 고개를 조아렸다.

"하는 수 없군요. 아무쪼록 정란 양한테 아무 일이 일어나지 않길 바라는 마음뿐입니다."

김한영은 쓸쓸한 얼굴로 허공을 응시했다. 강 형사는 조각처럼 매끈한 그의 옆모습을 잠깐 바라보았다. 상처를 파헤친 것만 같아 미안한 마음이 들었다. 그러나 곧 자리를 털고 일어섰다. 마음이 급한 탓에 타인의 감정에 일일이 신경 쓸 겨를이 없었다.

명치정 아그네스 카페를 찾아갈 생각이었다. 그곳에 가면 확실한 단서를 찾을지도 몰랐다. 어느덧 석양이 지고 있었다. 길게 늘어진 그림자를 밟으며 강 형사는 전차 정류장을 향해 걸어갔다.

9

　해 질 무렵, 동재는 명치정 거리로 나왔다. 한성파라로 가서 영달을 만날 생각이었다. 어디 점원 구하는 상점이 없나, 걸어가는 내내 눈알을 굴리며 살펴보았다. 그러나 상점마다 나붙었던 구인 광고는 이제 눈 씻고 찾아봐도 없었다. 얼마 안 되는 돈마저 바닥이 나면, 그야말로 알거지가 될 형편이었다.

　상점들을 지나 한성파라가 있는 골목길로 접어들 때였다.

　"어이, 채동재!"

　뒤에서 묵직한 목소리가 들렸다. 동재는 바짝 군은 얼굴로 천천히 뒤를 돌아보았다. 저승사자 보듯 순식간에 얼굴이 죽은 빛이 되었다. 얼마 전에 보았던 건달패였다. 몸집이 단단한 남자 둘이 눈을 치뜨며 동재를 보았다.

"돈은 준비됐나?"

머리를 매끈하게 민 남자가 한쪽 입술 끝을 올리며 씩 웃었다.

"아, 아직인데요……."

"허면 두식이 형님한테 다시 좀 가 봐야 쓰겄다."

덩치 큰 남자가 윽박지르듯 말했다. 동재는 뒷걸음질 치며 재빨리 주위를 살폈다. 도망쳐야 했다. 이번에 잡히면 배두식 손아귀에서 영영 빠져나오지 못할지도 몰랐다.

건달들이 동재 앞으로 한 발짝 다가섰다. 동재는 튕기듯 상가 거리를 내달리기 시작했다.

"이, 이런 쥐새끼 같은 놈!"

뒤에서 패거리가 외치는 소리가 들렸다. 사람들이 외마디 비명을 지르며 달려오는 동재를 피했다. 동재는 눈에 보이는 것이 없었다. 죽을힘을 다해 사람들 틈을 뚫고 내달렸다. 우동집을 지나 잡화점을 지나 오른쪽으로 난 좁은 골목길로 접어들었다. 막다른 골목길 벽면에 붙어 서서 숨죽이며 거리를 내다보았다. 조금 지나자 놈들이 뜀박질하는 게 보였다. 동재는 숨을 길게 내쉬었다. 놈들이 멀어진 걸 보고 나서야 겨우 거리로 나왔다.

한성파라로 가는 걸 포기하고 사람들 틈으로 끼어들었다. 이제 한성파라는 안전한 곳이 아니었다. 어쩌면 영달은 이미 놈들한테 잡혀갔을지도 모른다. 잡혀갔다면 곤죽이 되도록 맞고 인사불성이 됐을 것이다. 북적대는 사람들 틈을 걸어가는데 눈물이 핑그르르 돌았다. 어디서부터 일이 꼬인 건지 알 수가 없었다. 졸지에 쫓기는 신세가 되고 보니 하루도 마음 편할 날이 없었다. 오늘 아침에 거울을 들여다보니 얼굴이 마른 풀잎처럼 푸석거렸다. 삶의 의욕을 잃은 사람처럼 눈빛마저도 생기를 잃었다. 어쨌든 돈을 구해야 했다. 백 원을 구하지 못하면 정말이지 끝장이었다. 한데 어디서 돈을 구할까. 그런 생각을 하자 바윗덩어리가 들어 있는 듯 가슴이 답답했다.

집으로 가는 길, 동재는 길을 돌아 장곡천정♦ 쪽으로 걸어갔다. 경성 중심가를 여기저기 들쑤시며 다니는 꼴이었다. 아직은 안심할 수가 없어서였다.

날이 완전히 어두워지고, 거리에는 색색의 조명등이 길을 비추었다. 동재는 눈에 익은 화려한 거리가 낯설기 짝이 없었다. 방향 감각을 잃은 사람처럼 얼마 동안이나 거리를 헤매었다. 긴장이 풀린 탓에 온몸이 천 근이나 될 듯 무거웠다. 신발에 무쇠라

♦지금의 중구 소공동

도 달아 놓은 것처럼 한 발짝 떼기조차 버거웠다. 덕수궁 대한문을 지나 경성부청을 마주 보고 걸어갈 때였다. 어떤 기운이 뒤통수를 향해 쏜살같이 날아오는 걸 느꼈다.

"이 새끼, 잡았다!"

순식간에 놈들이 동재의 등을 덮쳤다. 동재는 있는 힘껏 발버둥쳤다. 그러나 얼마 버티지 못하고 꼼짝없이 덜미를 잡히고 말았다.

덩치가 주먹으로 동재의 뺨을 이리저리 후려쳤다.

"이 새끼, 간이 배 밖으로 튀어나왔구먼! 너, 두식이 형님이 어떤 분인지나 알고 그리 뛰었냐? 그 유명한 일화를 듣기나 했냐고?"

동재가 겁먹은 얼굴로 덩치를 보았다.

"새끼야, 우리도 한봉이 형님한테 모두 다 들은 이야기야."

덩치는 동재를 끌고 가며 배두식에 대한 일화를 술술 풀어냈다.

"오래전에 두식이 형님이 종로통 조직으로 들어왔을 때였어. 그때 두목으로 계시던 형님이 두식이 형님을 절대 신임하지 않았대. 시골에서 갓 올라온 촌놈이라고 우습게 본 게지. 크고 작은 싸움판에 도대체 끼워 주질 않더란다.

한데 우리 두식이 형님이 누구시냐? 조폭 판의 전설 아니시냐? 약이 오를 대로 오른 두식이 형님이 어느 날 할복을 시도했단다. 두목이 눈 시퍼렇게 뜨고 있는데 코앞에서 말이다. 고것이 일본 사무라이들이 하는 짓거리가 아니겠냐? 아, 왜 신임을 잃은 사무라이가 두목한테 결백을 증명할 때 하던 짓거리 말이다. 할복자살하는 사람 옆에는 꼭 그자의 목을 칼로 내리쳐 죽일 사람이 있어. 우라질 고통을 빨리 끝장내야 할 테니까.

그때 두식이 형님 목을 내리칠 준비를 하고 있던 사람이 바로 한봉이 형님이었다. 한데, 두식 형님이 할복을 하고 한봉 형님이 목을 내리치려고 할 때였어. 두목께서 벌떡 일어나더니 한달음에 달려와 두식이 형님을 말리더란다. 그리고 얼른 병원으로 데려가게 해서 가른 배를 꿰매게 했대. 그 뒤부터 두식이 형님은 두목의 두터운 신임을 얻고 종로통 일인자가 됐어. 한창 때 우리 두식이 형님 쌈질하는 걸 보면, 아예 날아다녔단다. 무림 도사처럼 이리저리 휙휙 날아다니면서 상대 놈들을 싸그리 작살내 버렸다지.

너, 이 쥐새끼 같은 놈! 이제 두식이 형님이 어떤 분인지 알아먹었냐? 후대에 길이길이 남을 전설의 두목이시다!"

덩치의 긴 이야기에 동재는 이제 죽었구나 싶었다. 사시나무 떨 듯 온몸을 덜덜 떨었다.

배두식의 사무실에는 짐작대로 영달이 있었다. 뜻밖에도 녀석의 몰골은 말짱했다. 팔다리 어디 하나가 부러져 있을 줄 알았는데, 녀석은 말짱한 모습으로 되레 놀란 눈으로 동재를 바라보았다. 동재야말로 놈들한테 두들겨 맞아 얼굴 꼴이 말이 아니었다.

"형님, 다른 녀석도 잡아 왔습니다요."

덩치가 방문 앞에 서서 말했다. 조금 뒤 배두식이 거구의 몸을 흔들며 밖으로 나왔다. 동재는 배두식을 쳐다볼 엄두가 나지 않았다. 큰북 같은 배때기 한복판에 나 있을 십자 상처가 눈에 보이는 듯했다. 배두식은 바르르 떨고 있는 동재를 보고 얼굴을 일그러뜨렸다.

"애 꼬락서니가 저것이 뭐냐?"

배두식이 언짢은 얼굴로 물었다.

"녀석이 우릴 보더니 잽싸게 튀지 뭡니까요. 하여 패대기를 쳐서 잡아 왔습니다요."

덩치가 의기양양해서 말했다.

그때였다. 배두식이 재떨이를 집어 들더니 느닷없이 덩치를 향해 내던졌다. 재떨이가 정확히 덩치의 이마를 때리고 바닥으로 굴러떨어졌다. 덩치는 피가 줄줄 흐르는 이마를 매만지며 고개를 푹 떨구었다.

"새끼야, 누가 애를 패대기쳐서 잡아 오라 했냐? 곱게 모셔 올 것이지! 아무튼 대가리 안 돌아가는 깡패 새끼들 같으니라고!"

배두식은 얼굴이 시뻘겋게 달아올랐다. 동재는 어리둥절한 얼굴로 배두식을 쳐다보았다. 배두식은 튀어나올 듯 눈알을 부라렸다.

"니들, 언능 이리 와 봐."

배두식이 얼굴빛을 달리하며 동재와 영달을 불렀다. 동재는 얼마나 떨리는지 자꾸 마른침을 삼켰다. 여전히 갈피를 잡을 수가 없는 사람이었다. 괴물처럼 으스스하다가도 어느 순간 말할 수 없이 다정해진다. 그 변덕스러움은 심장을 얼어붙게 만들 정도로 무시무시했다.

"내가 오늘 니들을 부른 건 제안할 것이 있어서다."

동재와 영달은 겁에 질린 얼굴로 배두식을 올려다보았다.

"으응, 그리 겁먹을 거 읎어. 돈 갚으라는 소리는 아니니까. 어쨌든 니들 의사를 존중해 줄 테니 한번 들어 봐라."

동재는 고개를 숙이며 마른침을 꿀꺽 삼켰다. 돈을 갚는 게 아니라면, 도대체 무슨 수작을 부리려는 건가. 사정없이 떨리는 중에도 그런 생각이 들었다. 이윽고 배두식이 말을 꺼냈다.

"금만이 대신에 니들이 감옥에 들어가라. 둘 다는 아니고, 아무나 한 명이다."

동재와 영달은 기겁한 얼굴로 배두식을 올려다보았다. 이건 결코 제안이 아니었다. 둘 중의 한 명이 감옥에 들어가라니. 동재는 날벼락을 맞은 것처럼 눈앞이 아찔했다.

"공짜가 아니야. 내 감옥 갔다 나온 놈한테는 제대로 대접해 줄 생각이다. 종로통에다 카페를 하나 차려 주마. 어떠냐?"

배두식이 두 녀석을 바라보며 입가에 웃음을 흘렸다.

"솔직히 니들이 어느 세월에 돈 벌어 종로통에다 카페를 차리겠냐? 까짓것 십 년이다. 십 년은 눈 깜짝할 새에 훅 지나간다."

그럴듯한 제안이었으나 웃음 속에 배어 있는 야비함을 감추지는 못했다. 동재는 또다시 온몸이 덜덜 떨려 왔다. 감옥이라니! 그곳은 사람을 죽이거나 폭행하거나 돈을 훔친 놈들이 들어가는 곳이었다. 한마디로 인생 막다른 길에 이른 놈들이 구더기같이 우글거리며 지내는 곳이었다. 그러니 절대로 감옥엔 들어가지 않을 작정이었다. 아무렴, 누구 좋으라고!

동재는 느물거리는 배두식의 얼굴을 힐긋 보았다. 배두식은 지금 김금만을 빼내려고 수작을 부리는 거였다. 칠성파 놈들이 나날이 패권을 장악하고 들어오니 바짝 조바심이 난 것이다. 그렇지만 제안을 거절한다 해도 상황은 마찬가지였다. 제안을 거절한 대가로 놈들의 손에 쥐도 새도 모르게 죽을지도 모른다. 건달패 사무실에 이렇게 갇혀 있는데, 누가 알겠는가 말이다.

"저, 지, 지금 대답해야 합니까요?"

뜻밖에도 영달이 물었다. 동재는 고개를 숙인 채 영달을 곁눈질했다. 녀석이 지금 무슨 생각을 하는 거야! 지난번에 영달이 한 말이 퍼뜩 떠올랐다. 녀석은 순진하게도 건달이 될 생각을 했다. 생각이 거기에 미치자 동재는 숨이 턱 막혔다. 딱 붙이고 앉아 있는 두 다리를 사정없이 떨었다. 반면에 영달은 담담했다. 무릎 위에 올려놓은 두 주먹을 불끈 쥐고 배두식을 뚫어지게 쳐다보았다. 마음속으로 무언가 굳게 결심한 얼굴이었다.

"대답은 다음에 해도 돼. 가능하면 긍정적인 대답이 나오길 기다리겠다."

배두식이 흡족한 얼굴로 말했다.

"그럼, 한 사흘 기다릴 테니 한번 들러라. 알겠냐?"

배두식이 영달의 어깨를 툭 쳤다. 그러고는 사무실 안이 쩌렁쩌렁 울리도록 호탕하게 웃었다.

두 녀석이 나가자 배두식은 다시금 얼굴빛이 달라졌다. 허공을 노려보며 어금니를 질끈 깨물었다. 그러고는 몸을 움츠리고 서 있는 건달들을 향해 소리를 질렀다.

"종로서에 전화 좀 넣어 봐. 강 형산지 물귀신인지 허는 놈 말고, 두목으로 바꿔. 금만이가 누구냐? 나헌테는 피붙이나 다름없는 동생 아니냐? 내 천금을 들여서라도 금만이를 빼내고 말 테니, 두고 봐라!"

금만이 일러 준 계획을 실행에 옮기려는 중이었다. 금만의 빈틈없는 계산이 배두식은 생각할수록 기특했다. 이번에야말로 김칠성을 높은 낭떠러지에서 확 밀어 버릴 수 있는 기회였다.

재떨이를 맞은 덩치가 재빨리 송수화기를 들었다. 진물이 줄줄 흐르는 이마를 수시로 닦으며 종로서로 전화를 걸었다.

그 사이 동재와 영달은 거리로 나왔다. 한바탕 몸살을 치른 것처럼 누렇게 뜬 얼굴이 반쪽이 되었다. 몇 발짝 걸어가다 말고 영달이 마른 입술을 달싹이며 말했다.

"나, 참말 감옥에 들어갈까 봐……."

녀석의 목소리가 어쩌나 처연하게 들리던지 동재는 울컥했다. 멈춰 서서 영달을 돌아보았다. 퀭한 녀석의 눈동자가 쉴 새 없이 흔들렸다. 반쯤 혼이 나간 얼굴이었다.

"두목 말이 맞아. 우리 같은 놈들이 어느 세월에 돈 모아 카페를 차리겠냐?"

"멍청한 놈. 배두식이가 참말로 카페를 차려 줄 것 같냐? 김금만이를 빼내려는 수작이야!"

동재가 버럭 소리를 질렀다.

"아니야, 건달들이 의리 하나는 지킨다고 들었어. 한 십 년 살다 나오면 종로통에 참말로 근사한 카페를 차려 줄 거야."

"웃기고 있네! 배두식은 참말 끔찍한 사람이라고! 너 같은 놈 따위 안중에도 없어!"

하지만 영달은 여전히 정신을 차리지 못했다. 아마도 십 년 뒤쯤 종로통에 차린 멋진 카페를 상상하고 있는지도 모른다. 그때는 십 원 월급을 받는 카페보이가 아니라 어엿한 카페 주인이다. 그러면 청소에다 짓궂은 손님들 뒤치다꺼리를 하지 않아도 괜찮다. 멋지게 차려입고 점원들을 맘대로 부려도 누구 하나 눈치 줄 사람이 없다. 그런데 그게 정말 가능하기나 한 일일까?

마침내 동재가 영달의 뒤통수를 세게 후려쳤다.

"정신 차려, 인마!"

영달이 씩씩대며 동재를 노려보았다. 어둠 속에서도 녀석의 눈에 고인 눈물이 보였다. 맞은 게 아파서 그런 게 아니었다. 그 눈물의 의미를 동재는 곧 알아차렸다. 녀석은 지금 기름통을 들고 불길로 뛰어드는 심정일 것이다. 어느덧 동재도 코끝이 시큰해졌다.

"그러지 말고 얼른 갚을 돈이나 구해 보자. 그게 더 빠를지도 몰라."

영달은 근심 어린 얼굴로 고개를 가로저었다.

"어림없어⋯⋯. 액수가 너무 커져 버렸단 말이야."

"도대체 얼마나 빌렸는데?"

"그게⋯⋯ 이천 원쯤 될걸. 아마 이자를 합하면 이천에 오백이 더 불어났을 거야."

동재는 멈춰 서서 그만 입을 쩍 벌리고 말았다. 이천오백 원이라니. 그 돈이면 경성에 집 한 채를 살 수 있는 돈이었다. 이런 미친놈⋯⋯. 입가에서 맴도는 욕지거리를 가까스로 집어삼켰다. 기가 막혀 허공을 향해 숨을 길게 내쉬었다.

몇 발짝 걸어가는데, 기어코 뒤에서 훌쩍거리는 소리가 들렸다. 동재는 뒤돌아서서 소리를 질렀다.

"울긴 왜 우냐? 이 새끼야, 너도 어떡하든 돈을 구하란 말이야!"

녀석의 어깨를 틀어잡고 사정없이 흔들어 댔다. 영달이 목 놓아 울기 시작했다. 그렇지만 이게 어디 운다고 해결될 일인가! 돈을 구해야 했다. 이제 녀석의 몫까지 합해 이천 원이 넘는 돈이었다. 어마어마한 액수에 동재는 가위에 눌린 듯 숨 쉬기가 버거웠다. 이천 원은 결코 쉽게 구할 수 있는 돈이 아니었다. 그건 억세게 운이 좋아 도박판에서 횡재한 사람만이 챙길 수 있는 돈이었다. 젠장, 경성 바닥에는 부자도 많다던데!

동재가 땅바닥을 세게 걷어찰 때였다.

'그놈이야!'

별안간 머릿속으로 김한영의 얼굴이 떠올랐다. 동성방직 사장, 김한영. 그놈이라면 돈을 뜯어내도 마음에 걸릴 게 없었다. 걸리는 게 있다면, 그건 누나였다. 누나를 이용할 생각을 하니, 비수를 맞은 것처럼 가슴이 아려 왔다. 그러나 곧 잠깐 빌리는 셈 치자고 마음을 바꿔 먹었다. 주식만 한 방 맞으면, 놈에게 꾼 돈에 이자를 쳐서 갚아 주면 그만이었다. 그래도 여전히 께름칙한 기분이 드는 건 어쩔 수가 없었다. 놈이 누나한테 어떻게 했는지, 한순간도 잊은 적이 없기 때문이었다.

10

　동양척식주식회사를 지나 오른쪽 골목길로 들어가자 아그네스 카페가 보였다. 길 하나를 사이에 두고 황금정과 경계를 이루는 곳이었다. 간판에서부터 신경을 썼는지, 아그네스는 여느 카페 중에서도 외관이 세련되고 우아했다.

　강 형사는 출입문을 열고 안으로 들어갔다. 이른 저녁에도 카페 안 곳곳에는 손님들이 앉아 있었다. 흰 천을 씌운 둥근 테이블이 흡사 연회장을 떠올리게 했다. 레코드에서 음악이 흘러나왔다. 바이올린의 애절한 선율이 마음을 녹일 듯 스며들었다.

　강 형사는 출입구에 서서 카운터 벽면에 걸린 그림에 눈을 두었다. 벽면을 절반쯤 가리는 제법 큰 그림이었다. 그림 속에서 중년 여인이 고개를 숙인 채 책을 내려다보고 있었다. 가느다란 목선과 나른한 표정이 중년의 나이에도 고혹적인 분위기를 풍겼다.

"누굴 찾아오셨나요?"

어느덧 점원으로 보이는 젊은 여자가 다가와 말을 걸었다.

"저, 이 카페 주인을 좀 만나 볼까 해서 왔습니다."

여점원이 강 형사를 물끄러미 바라보았다. 강 형사는 웃옷에서 지갑을 꺼내 경찰 배지를 보여 주었다. 여점원의 낯빛이 차갑게 변했다. 경찰에 대해 곱지 않은 시선을 갖고 있다는 것쯤은 잘 알고 있는 터였다. 민중의 지팡이라고? 웃기지 말라고 그래! 여점원의 차가운 시선이 그렇게 말하는 듯했다. 그런 시선을 마주할 때마다 강 형사는 매번 허탈한 기분이 들었다.

"주인장은 이곳에 안 계십니까?"

"잠시 외출 중이니 곧 들어오실 거예요. 자리에 앉아 기다리시지요."

여점원은 가장자리 빈 테이블을 눈으로 가리키더니 카운터 쪽으로 휙 걸어갔다.

강 형사는 홍차를 마시며 카페 안을 샅샅이 살폈다. 오십 평쯤 되는 넓은 홀에 테이블 스무 개가 놓여 있었다. 등받이가 높은 의자는 쿠션이 좋아 앉아 있기 편안했다. 또한 붉은빛이 감도는 나무 바닥은 품질이 좋은 비단처럼 윤이 났다.

카페 내부를 한참 둘러보는데, 출입문을 열고 여자가 들어왔다. 강 형사는 고개를 들고 중년 여자를 뚫어지게 쳐다보았다. 그림 속의 여자였다. 현실의 여자도 가느다란 목선이 드러나는 검은색 원피스를 입었다. 긴 목에 진주 목걸이를 했는데 검은색 원피스와 대비되어 무척 단아해 보였다. 그러나 그 분위기는 청초함과는 확연히 달랐다. 여자는 우아한 듯하면서도 삶에 찌든 듯 억센 분위기를 띠었다. 하긴 이런 카페를 운영하고 있으니 보통내기는 아닐 터였다.

여점원이 중년 여자에게 다가가 속삭였다. 조금 뒤 여자가 강 형사에게 다가와 말을 걸었다.

"저를 찾으셨다고요?"

여자가 의아한 얼굴로 강 형사를 바라보았다. 강 형사는 자리에서 일어나 인사를 건넸다.

"종로서에서 온 강 형사라고 합니다."

"네, 들어 알고 있습니다만……."

여자의 목소리는 중저음으로 차분했다. 여자는 여전히 의혹의 눈빛을 띠며 강 형사를 바라보았다.

"이곳을 드나드는 손님에 대해 몇 가지 여쭐 게 있어 찾아왔습니다."

강 형사는 어쩐지 가슴이 두근거렸다. 사십 대 초반쯤 될 법한 여자의 용모가 너무나 화사한 탓이었다. 하얀 피부에 짙게 그린 눈썹과 붉은 입술이 여느 극단의 여배우 같은 용모였다.

여자가 말없이 맞은편 의자에 앉았다.

"어떤 손님을 말씀하시는지요?"

여자는 강 형사를 빤히 보며 물었다. 그제야 강 형사도 여자의 얼굴을 마주 바라보았다.

"김정필이라는 사람입니다."

"김정필? 글쎄…… 그런 이름은 들어 본 적이 없는데……."

여자의 기다란 속눈썹 끝이 파르르 떨렸다. 강 형사는 주머니에서 사진을 꺼내 보였다. 비로소 여자가 아는 체를 하며 말했다.

"아, 이분 성함이 김 정 자 필 자였군요. 이곳에서는 좀처럼 이름을 부르지 않아서요. 그저 김 선생님이라고만 했지요. 한데, 이분은 얼마 전에 돌아가시지 않았나요? 소문을 들어 그리 알고 있습니다만."

"맞습니다. 하여 그 일로 조사할 게 있어 찾아왔습니다."

여자는 테이블 위 꽃병에 꽂힌 소국에 눈을 두며 짧은 한숨을 내쉬었다. 난감한 표정을 짓더니 다시금 강 형사를 바라보았다.

"물어보고 싶으신 게 뭔가요?"

"김정필 씨가 이곳엘 자주 출입하셨습니까?"

어쩌면 단골이었을지도 모르는 김 노인의 모습이 떠올랐는지, 여자의 눈빛이 흔들렸다. 여자는 아랫입술을 살짝 깨물더니 천천히 이야기를 꺼냈다.

"수요일 밤이면 이곳에 찾아와 놀다 가시곤 했어요. 형사님 앞에서 이런 말 하긴 좀 그렇지만, 수요일 밤이면 이곳에서도 춤을 춘답니다."

"그건 안 들은 걸로 하겠습니다. 한데 혼자 오신 건 아니겠지요?"

여자가 고개를 끄덕였다.

"동행한 사람들이 어떤 사람들이었는지 말씀해 주시겠습니까?"

"뭐, 특별히 기억나는 사람은 없답니다. 그저 저기 앉아 있는 손님들과 비슷한 사람들이었어요. 손님들은 대개 처음에는 혼자 혹은 둘 셋씩 와서 다 함께 어울렸답니다. 홀에서 춤을 추거나 춤추는 걸 구경하면서 말이지요. 그러다 보면 어느새 마음이 맞아 함께 술을 마시거나 마작을 하며 어울리곤 하지요. 아, 마작이라고 해 봐야 취미 정도였답니다."

강 형사는 비로소 이 카페의 분위기를 알 것 같았다. 춤이라는 걸 매개로 비슷한 부류의 사람들이 모여 문화생활을 누리는 곳이었다. 이를테면, 아그네스 카페는 몇몇 사람들만의 문화 공간인 셈이었다. 이 카페뿐만 아니라, 이런 종류의 카페가 경성 안에 몇 개 있다는 소문을 들은 적이 있었다.

"여자분도 많이 있습니까?"

강 형사는 질문을 던져 놓고 여자의 얼굴을 살폈다. 여자는 담담한 얼굴로 말했다.

"많지는 않지만, 당연히 여자분들도 좀 있지요. 대부분 이 근처에 직장을 둔 분들이에요. 경성부청이나 제일은행, 조선호텔, 그리고 미쓰코시백화점 여점원도 있어요."

"미쓰코시백화점 여점원이오?"

강 형사가 목소리를 높였다. 짐작했던 일이지만 순간적으로 화들짝 놀라고 말았다. 미쓰코시백화점 여점원이라면 틀림없이 채정란일 것이다.

"네, 아야코 양이라고…… 아, 여기서는 다들 그렇게 부르지요. 일본식 이름을 하나쯤 갖는 게 그럴듯해 보여 말입니다. 물론 김 선생님은 끝까지 김 선생님을 고집했지만요. 그 양반, 낡은 한복을 입고 다닌 것도 모두 그런 고집 때문이었어요. 알고 계시겠지만 갑부라고 들었습니다."

"혹시 아야코 양의 본명이 채정란 아닙니까?"

"아마 그럴 거예요. 본명으로 부른 적은 거의 없지만요."

여자는 강 형사를 지그시 바라보았다. 그 눈빛이 '당신도 이미 다 알고 있잖아?' 하고 묻는 것 같았다. 강 형사는 여자의 눈을 피해 허공에 시선을 두며 생각했다. 여자는 무언가 알고 있는 게 틀림없었다. 적어도 김 노인과 채정란, 두 사람의 관계를.

"좋습니다. 한데 김정필 씨와 정란 양이 늘 함께 있었습니까?"

"글쎄요…… 그것까지는 잘 모르겠군요. 처음 이곳에 왔을 때 아야코, 아니 정란 양은 혼자였어요. 사람들과 쉽게 친해지지도 않았죠. 작년 9월 말인가. 아마 그때부터 이곳엘 출입한 것 같군요. 초췌한 모습으로 혼자 앉아 커피를 마시면서 춤추는 사람들을 구경하다 가곤 했어요. 무슨 일인지 모르지만, 젊은 여자가 실의에 빠진 것 같더군요."

작년 9월 말이라면 아마도 김한영과 헤어질 무렵이라고, 강 형사는 짐작했다.

"그럼, 김정필 씨는 언제부터 이곳을 출입했습니까?"

"안 그래 보이지만, 김 선생님은 이곳 카페 오랜 단골이세요.

그런데 두 사람이 초면은 아닌 것 같더군요. 실의에 빠져 있는 정란 양에게 김 선생님께서 어느 날 술을 사 주셨습니다. 술을 마시고 정란 양은 그날 인사불성이 됐지요."

"취중에 혹시 정란 양이 무슨 말을 했는지 기억하십니까?"

여자는 강 형사를 빤히 바라보았다. 왜 그 여자에 대해 집요하게 묻는지 알 수가 없다는 얼굴이었다. 미간을 찌푸리더니 다시금 이야기를 꺼냈다.

"남의 사생활을 이렇게 이야기해도 되는지 잘 모르겠군요. 하지만 뭐 수사에 도움이 된다면 어쩔 수가 없군요. 아마도 정란 양은 그 무렵 실연을 한 것 같았어요. 상처가 컸던지 몹시 마음 아파했답니다. 상대가 누구인지는 저도 몰라요. 하지만 헤어진 남자한테 좋지 않은 감정을 갖고 있는 것만은 틀림없었어요."

여자는 낯빛이 어두워졌다. 같은 여자로서 정란의 마음을 깊이 이해하기 때문인지도 몰랐다. 두 사람 사이에 어색한 침묵이 흘렀다. 그 침묵을 깨고 강 형사가 참았던 물음을 던졌다.

"그렇다면 혹 두 사람이 가까운 사이로 발전했습니까? 이를테면, 연인 관계라고 할까요?"

여자가 강 형사를 물끄러미 바라보더니 소리 내어 웃었다. 강 형사는 얼굴이 붉게 달아올랐다.

"그런 질문이 어디 있습니까? 두 사람 관계는 절대 그런 게 아니었어요. 마음이 맞는 동무 같은 사이였다고 할까요. 많은 나이 차이에도 두 분은 참말 우정이 돈독해 보였어요. 정란 양은 조금 지나 이곳 손님들로 구성된 댄스 구락부에서 춤을 배웠어요. 그리고 수요일 밤이면 이곳에서 춤을 췄지요. 김 선생님은 정란 양과 다른 사람들이 춤추는 걸 구경했고요. 무척 즐거워하셨지요."

이야기를 듣는 동안 강 형사는 머릿속이 복잡했다. 카페 여주인은 김한영과 완전히 다른 이야기를 했다. 김한영은 김 노인과 정란의 관계가 연인 사이라고 확신했다. 김 노인과 팔짱을 끼고 걸어가는 정란을 우연히 봤다고 하지 않았던가. 그런데 카페 여주인은 두 사람이 그런 관계가 아니라고 말했다. 두 사람은 어디까지나 동무 같은 사이였다고.

"정란 양에 대해 좀 더 이야기해 주시겠습니까?"

여자는 어깨를 으쓱했다. 도대체 뭘 알고 싶은지 알 수가 없다는 표정이었다.

"얼마 뒤 정란 양은 춤의 여왕으로 등극할 정도로 춤을 잘 췄어요. 때문에 이곳을 찾는 뜨내기 남자 손님들 중에 정란 양한테 흑심을 품는 사람들이 하나둘 생겨났죠. 가끔 술 취한 남자 손님이 정란 양의 손목을 틀어잡고 사귀자는 말을 하기도 했어요. 그

때마다 김 선생님이 나서서 혼을 내 줬답니다. 손님이 말을 듣지 않을 때는 들고 있던 지팡이를 휘두르기도 했지요. 그렇게 망신을 당한 손님은 두 번 다시 우리 카페에 나타나지 않았어요. 나로서는 손해를 보는 느낌이지만, 김 선생님께서 알아서 손님들을 정리해 주시니 고마운 점도 있었지요."

"한데 김정필 씨가 왜 그리 정란 양을 보호했답니까?"

"글쎄요……. 그건 사람에 대한 기본 도리가 아닐까요?"

"사람에 대한 기본 도리라니요?"

"생각해 보세요. 술 취한 남자한테 희롱 당하는 여자를 보고 가만있는 게 더 문제가 있지 않겠습니까? 요즘엔 사는 게 다들 힘드니, 다른 사람 일에 신경 쓰지 않는 것 같더군요. 하지만 이곳을 찾는 사람들은 남한테도 곧잘 마음을 쓰는 편이에요. 아마도 마음의 여유가 있어 그렇겠지요. 때로는 좋은 일을 베푸는 것도 같고……. 이를테면, 연말에 불우 이웃을 돕기도 하고, 돈이 없어 공부를 중단한 학생들에게 학비를 대 주기도 한답니다. 아, 저도 잘은 몰라요. 그저 전해 들은 이야기랍니다."

여자는 재빨리 말을 돌렸다. 눈을 내리뜨며 다시금 작은 국화를 바라보았다. 강 형사의 집요한 질문에 짜증이 치밀었으나 내색하지 않았다.

"그럼, 한 가지만 더 여쭙겠습니다. 김정필 씨가 정란 양에게 따로 한 말을 들은 적이 있습니까? 아니면 두 사람이 나눈 대화 중에 기억나는 이야기가 있다면 들려주십시오."

여자는 한 손으로 턱을 괴고 잠시 생각에 빠졌다. 그러다 눈빛을 빛내며 말했다.

"언젠가 김 선생님이 정란 양을 불꽃 같은 여자라 말씀하신 적이 있어요."

"불꽃 같은 여자요?"

강 형사가 목소리를 높이며 되물었다. 여자는 입가에 잔잔한 미소를 띠었다. 수수한 김 노인이 그런 말을 하던 때가 떠올랐기 때문이었다. 말수가 적은 김 노인의 칭찬에 솔직히 여자도 두 사람의 관계를 오해할 뻔했다.

"네, 불꽃요. 정란 양의 가슴속에 어느 순간 확 피어날 불꽃이 숨어 있다 하셨어요. 가슴속에 커다란 열정을 품은 아가씨라고 칭찬하셨지요. 하여 그 어떤 시련도 정란 양의 불꽃 심지를 꺼뜨리지 못할 거라 장담하셨어요. 다만, 그 불꽃이 좋은 방향으로 피어나길 바란다고 말씀하셨지요."

"김정필 씨가 참말 그렇게 말했단 말입니까?"

"네. 칭찬에 인색한 분인지라 저도 어리둥절했답니다. 오랜 시간 그분을 보았으나 그분이 칭찬한 사람은 딱 두 명뿐이었어요."

"한 명은 채정란 양일 테고…… 그렇다면 나머지 한 명은 누구입니까?"

여자가 고개를 갸웃하며 생각하더니 입을 열었다.

"꽤 젊은 남자분인 것 같았는데…… 이곳 카페 손님은 아닌지라 저도 잘 모르는 분이었습니다."

강 형사가 말없이 고개를 끄덕였다. 그러고는 아까부터 하고 싶었던 말을 꺼냈다.

"솔직히 말씀드리자면, 얼마 전에 정란 양이 실종됐습니다."

강 형사의 말에 여자는 눈을 치떴다. 아연한 얼굴로 가만히 강 형사를 바라보았다.

"세상에! 그런 일이 있었군요. 어쩐지 최근에 정란 양이 이곳에 한 번도 오지 않았어요."

여자는 혀를 차며 얼굴을 찌푸렸다.

"그럼, 정란 양이 어디에 있는지 전혀 모르신다는 말씀인가요?"

여자가 강 형사를 바라보았다.

"무슨 말씀을 하려는지 알겠지만, 잘 모르는 일입니다. 저는 이곳에 찾아오는 손님을 절대 따로 만나지 않아요. 여자 남자 가리지 않고 모두 다 그렇게 하지요. 손님들한테 휘둘리면 이런 장사를 오래 할 수 없거든요. 이해하시겠어요?"

여자가 짐짓 서둘러 말했다.

"네, 이해합니다. ……이거 바쁘신데 폐를 많이 끼쳤습니다."

강 형사는 인사를 건네고 자리에서 일어섰다. 여자는 팔짱을 끼고 서서 강 형사를 향해 우아한 웃음을 지어 보였다. 그 모습을 바라보며, 강 형사는 문득 여자의 말을 되새겼다. 사람에 대한 기본 도리라…….

강 형사는 카페를 나와 불빛 환한 명치정 밤거리를 걷기 시작했다. 아무래도 두 사람의 관계가 묘연했다. 마음 맞는 동무 같은 사이라니. 아무리 세상이 바뀌었다고 해도 마흔 살이나 차이 나는 남녀가 그런 식으로 관계를 맺을 수 있을까. 차라리 연인이 될 가능성을 찾는 게 더 빠를지도 모른다. 강 형사는 카페 여주인의 말이 선뜻 가슴에 와 닿지 않았다. 마음이 기울어지는 건 역시 김한영의 진술 쪽이었다. 김한영의 말이 진실이라면, 김 노인의 죽음에 정란이 깊게 개입돼 있는 게 분명했다. 한마디로 정란의 범행 가능성을 배제할 수 없었다.

어쨌든 채정란을 찾아야 했다. 카페 여주인이 모르는 어떤 사연이 그들 사이에 있었는지도 모른다. 김 노인이 살해된 날 사라져야만 하는 이유는, 이제 그녀 자신만이 말할 수 있었다.

9시가 조금 넘어서, 강 형사는 종로경찰서로 들어갔다. 아내가 없는 빈집으로 들어가기에는 너무 이른 시간이라는 생각이 든 탓이었다.

그 시간에도 경찰서 안은 야근하는 형사들로 북적댔다. 웬일로 서장실에도 불이 켜져 있었다. 유리문을 통해 사토 서장이 책상에 앉아 전화하는 모습이 보였다.

조금 뒤 강 형사는 서장실 문을 두들겼다. 사토 서장이 막 통화를 끝내며 들어오라는 손짓을 했다.

"자네 아직 퇴근 안 한 건가?"

사토 서장이 환하게 웃으며 말했다. 강 형사는 어떻게 말을 꺼내야 할지 몰라 머뭇거렸다.

"내게 뭐 할 말이라도 있는 겐가?"

사토 서장이 재차 묻자 강 형사는 결심한 듯 이내 입을 열었다.

"김 노인 살인 사건에 관한 건인데, 유력한 용의자가 있는 듯합니다."

예상했던 대로 사토의 얼굴이 일그러졌다. 언짢은 눈으로 강 형사를 쳐다보았다.

"흠. 또 그 소리군! 안 그래도 자네가 김 노인 사건 때문에 거리를 헤매고 다니는 건 알고 있었지. 확실한 건가?"

사토가 입술을 이죽거렸다.

"아직 물증은 없지만 거의 확실합니다."

"그래? 대체 그자가 누군가?"

"채정란이라는 여자입니다. 미쓰코시백화점 여점원이고, 죽은 김 노인과 가까운 사이였던 걸로 드러났습니다. 게다가 일 년 전에는 동성방직 사장과 연애를 했습니다. 꽤 영리한 여자인 듯합니다. 돈 있는 남자라면 나이를 가리지 않고……."

사토 서장이 지루한 표정을 짓더니 말을 가로챘다.

"그렇다면 그 여자를 왜 안 잡아 오는 거지? 그리 확실한 용의자라면 얼른 잡아다 심문해야 할 것 아닌가?"

"그, 그게…… 채정란이 실종됐기 때문입니다. 아니, 남동생 말로는 실종이 아니라 가출이라고 했습니다. 한데 가출한 날짜가 바로 김 노인이 살해되던 날 밤이었습니다."

사토가 더 참지 못하고 버럭 소리를 질렀다.

"강 형사, 지금 실종 사건에 대해 이야기하자는 건가? 내 보기엔 그런 여자라면 어떤 놈하고 야반도주한 게 뻔한 것 같구먼. 이런, 그 시간이면 건달 놈들을 족쳐서 물증을 잡아야 할 것 아니야! 뻔한 용의자를 잡아 놓고도 물증을 못 갖다 대니 원!"

사토의 얼굴이 검붉게 달아올랐다. 강 형사 역시 지지 않고 받아쳤다.

"하지만 김금만이 김 노인을 죽였다는 물증도 없지 않습니까?"

사토 서장은 집어삼킬 듯이 이글거리는 눈으로 강 형사를 노려보았다.

"그렇다면 그 여잘 잡아 와! 그럼, 김금만을 내보낼 테니. 벌써 민원이 빗발치고 있어! 대일본제국 경찰이 살해범 하나 못 잡는다고 날마다 전화통에서 불이 나고 있다고! 알아들어?"

"네! 조만간 용의자를 잡아 오도록 하겠습니다!"

"조만간이 아니라 내일, 내일 당장 잡아들이란 말이야!"

"넵! 알겠습니다!"

강 형사는 바짝 굳은 얼굴로 대답했다. 관자놀이를 타고 땀방울이 줄줄 흘러내렸다.

인사를 건네고 밖으로 몇 발짝 걸어가는데, 사토 서장이 중얼거리는 소리가 들렸다.

"그러니까 가정을 잘 건사해야 한다고. 저 사람, 아무래도 문제가 있어……."

강 형사는 멈칫 멈춰 섰다. 그러나 사토에게 항의할 용기가 생긴 건 아니었다. 매캐한 담배 연기가 느껴졌다. 얼굴을 일그러뜨린 사토가 내뱉는 담배 연기였다.

11

"벌써 그만 드시게요?"

설렁탕을 먹다 말고 박 형사가 물었다. 강 형사는 대답도 없이 숭늉을 들이켰다. 안 그래도 무뚝뚝한 사람이 오늘은 아예 입을 열지 않았다.

"수사 회의 결과 때문에 마음이 안 좋으신 거죠?"

박 형사도 숟가락을 내려놓으며 말했다. 강 형사가 김 노인 사건 용의자를 찾으려고 얼마나 뛰어다녔는지 잘 알고 있었다. 덕분에 용의자를 발견한 것 같았지만, 왜 그런지 그것에 대해 일체 말을 꺼내지 않았다. 아마도 아직 확실한 증거를 확보하지 못했기 때문일 것이다.

강 형사는 박 형사를 잠깐 바라보다 눈을 내리뜨며 말했다.

"그런 거 아니야……. 요즘 통 입맛이 없어 그래."

그렇지만 틀림없이 오늘 아침에 발표된 수사 회의 결과 때문이었다. 수사 회의에서 사토 서장은 결국 김금만을 재판에 회부하기로 매듭지었다. 지장을 찍을 수밖에 없는 상황으로 몰아친다면 김금만도 더 이상 버티지 못할 것이다. 막무가내로 밀어붙이는 수사 회의 결과에 박 형사는 내심 혀를 내둘렀다. 의기양양한 사토의 얼굴이 떠오르자, 저절로 얼굴이 찌푸려졌다.

강 형사는 밥값을 치르고 밖으로 나갔다.

"형수님은 요즘 좀 어떠세요?"

뒤를 바짝 따라 걸으며 박 형사가 조심스럽게 물었다.

"아직 친정에 있어. 그 여편네, 친정에 아주 눌러살 작정인 것 같아."

강 형사는 퉁명스레 대답했으나 목소리에 서운한 감정이 배어 있었다. 박 형사는 어깨를 들썩이며 한숨을 내쉬었다.

"자네가 한숨 쉴 건 없어."

강 형사가 무뚝뚝하게 말했다. 그러고는 몇 발짝 걷다 말고 우뚝 멈춰 섰다. 박 형사에게 조용히 하라는 손짓을 하더니 네거리를 향해 눈을 고정시켰다. 박 형사는 강 형사의 시선을 따라 고개를 돌렸다. 눈에 익은 청년이 차도 앞에 서 있었다. 채동재였다. 녀석은 쫓기기라도 하듯 주위를 두리번거리더니 재빨리 도로를 건넜다.

"박 형사, 먼저 들어가!"

강 형사는 동재한테 눈을 두며 서둘러 말했다.

"하지만 형, 이제 뭐 하러……."

박 형사의 말이 채 끝나기도 전이었다. 강 형사는 쏜살같이 네거리 쪽으로 달려갔다.

동재는 반쯤 혼이 나간 얼굴로 정류장에서 전차를 기다리고 있었다. 강 형사는 조금 떨어진 곳에 서서 동재를 살폈다. 녀석은 고개를 수그리고 가끔씩 땅바닥을 툭툭 걷어찼다. 그사이 몰라볼 정도로 얼굴이 핼쑥했다. 정란이 사라진 탓일까. 하지만 그게 꼭 누나의 부재 때문인 것 같지는 않았다. 초조해하는 몸짓이 마치 누군가한테 쫓기는 것처럼 보였다.

전차가 다가왔다. 동재는 사람들 틈에 섞여 전차에 올랐다. 강 형사도 동재와 일정한 거리를 두고 전차에 올라탔다. 다행히 자리가 있어 녀석과 좀 떨어진 곳에 앉을 수 있었다.

'어딜 가려는 걸까?'

전차가 종로통을 거의 다 지날 때까지도 녀석은 꼼짝하지 않았다. 몽롱한 눈으로 차창 밖을 내다보고 있었다.

동재는 무심코 황금정 거리를 내다보았다. 시원하게 뚫린 큰
길에 웅장한 서양식 건물들이 늘어서 있었다. 이것이야말로 진
짜 경성의 맛을 느끼게 해 주는 풍경이었다. 황금정5정목에 이르
자, 거리는 화려함의 극치를 이루듯 눈부시게 펼쳐졌다. 비로소
동재의 눈에 생기가 돌면서 반짝 빛이 났다. 일이 잘 풀려 배두
식한테 빌린 돈만 갚으면 인생을 다시 시작할 수 있었다. 말할
것도 없이 주식에 매달릴 작정이었다. 주식만 한 번 대박 터뜨리
면 저런 건물 하나쯤 사는 건 식은 죽 먹기였다. 잠시 잊고 있던
열망으로 어느덧 동재는 가슴이 벅차올랐다.

전차가 진고개 끝자락을 지나갈 무렵이었다. 차창 밖을 내다
보던 동재의 눈이 크게 벌어졌다. 누런 삼베 저고리에 중절모를
쓴 노인이 지팡이를 짚고 걸어갔다. 노인은 한 발짝 뗄 때마다
엉덩이를 비죽 내밀며 가까스로 걸었다. 옷차림이나 걷는 모양
이 영락없이 죽은 김 노인을 닮았다.

'망할 영감쟁이가 귀신이 되어 나타났나!'

동재의 머릿속으로 죽은 김 노인의 모습이 떠올랐다. 방 하나
를 가득 채울 만큼 큰 돈을 쥐고 있으면서도 차림새는 거지보다
못한 노인이었다. 평소 내지르던 카랑카랑한 목소리가 귓가에서

뱅뱅 맴돌았다.

'야, 이놈아, 방세가 석 달이나 밀렸어! 한 달에 육 원 하는 방세 하나 못 내면서 어찌 이 풍진 세상을 살아갈 작정이여. 그 짱짱한 다리로 인력거를 끌어 봐라, 한 달에 육 원을 못 버나! 아니면, 어디 가서 막벌이꾼이라도 해야 할 것 아니여! 암튼 요새 것들은 다들 약해 빠져서 큰일이여. 흠, 약해 빠지기만 혔게! 헛바람만 잔뜩 들어 가지고 지랄들을 하니 그게 더 큰 문제지. 요런, 천하의 망종들 같으니라구!'

김 노인은 제 손주 나무라듯 동재를 보고 가차 없이 악을 써댔다.

'그 영감쟁이, 그러니까 칼이나 맞고 꼴까닥하시지.'

동재는 악담을 내뱉고는 오소소 소름이 돋았다. 못된 말을 했다고, 죽은 김 노인이 원귀가 되어 달라붙을 것만 같아서였다. 그런데 다시금 차창 밖을 내다보는 동재의 눈에 슬픔이 스며들었다. 어쩐 일인지 그 구두쇠 영감이 그리웠다. 생각해 보니 어느 누구도 동재에게 그런 말을 해 준 사람은 없었다.

'망할 영감쟁이, 지옥에나 안 떨어졌어야 할 텐데…….'

그사이 전차가 한강교역 정류장에서 멈춰 섰다. 곧 한강 다리를 건너고 한참을 더 달린 뒤 동재는 영등포역에서 내렸다. 강 형사는 동재를 주시하며 부지런히 뒤를 따라 걸었다.

'설마, 저 녀석이!'

공장들이 늘어선 거리를 걸어가며 강 형사는 동재의 행선지를 어림짐작했다. 조금만 더 걸어가면 김한영의 방직 회사가 나온다. 그렇지만 녀석이 왜 김한영을 만나러 가는지는 짐작되지 않았다.

예상대로 동재는 동성방직 공장 출입구 안으로 들어섰다. 경비원이 가로막는지 실랑이가 벌어졌다. 얼마 전에 보았던 경비원이 아니었다. 작은 키에 성깔깨나 있게 생긴 중년 남자였다.

강 형사는 멀찌감치 떨어진 곳에서 그들을 주시했다. 조금 뒤 동재가 회사 건물 안으로 들어가는 모습이 보였다.

강 형사는 동재의 뒷모습을 유심히 살피며 몇 가지를 추리했다. 녀석이 김한영을 만나는 이유는 아마도 누나의 실종 소식을 알리려는 것인지도 모른다. 아니면, 김한영이 알고 있다 짐작하고 어디 있는지 알아내려는 것이다. 그런데 이도 저도 아니면, 녀석의 목적은 뭘까……. 어쨌든 강 형사는 동재가 나올 때까지 기다리기로 마음먹었다.

김한영은 사무실 책상 앞에 앉아 문 앞에 선 동재를 물끄러미 바라보았다. 낯빛에 당황한 기색이 전혀 없었다. 갑작스러운 동재의 출현이 불쾌할 법도 한데, 그런 내색조차 하지 않았다.

"자네가 여기까지 웬일인가?"

동재를 빤히 보며 물었다. 동재는 눈자위를 희뜩대며 김한영을 쏘아보았다. 단거리 달리기를 막 끝낸 선수처럼 숨소리가 거칠었다. 지금 말을 꺼내야만 했다. 지금 말하지 않으면 기회가 영영 사라져 버릴지도 몰랐다. 동재는 수십 번이나 연습한 말을 단숨에 쏟아 냈다.

"우리 누나가 실종됐어요. 당신, 누나가 지금 어디 있는지 알고 있죠?"

그러나 그 짧은 순간의 지독한 망설임이 무색하게도, 김한영은 코웃음을 쳤다. 동재는 뭔가가 삐거덕거리며 어긋나는 기분이 들었다. 김한영은 비서인 듯 보이는 여자를 밖으로 내보내고 나서 손짓하며 동재를 불렀다.

동재는 몇 발짝 다가가 놈의 얼굴을 뚫어지게 바라보았다. 김한영은 그대로였다. 윤기 흐르는 얼굴에 말쑥한 차림이 예전과 다를 게 하나 없었다. 생글거리는 놈의 눈을 마주 보고 있으니 구역질이라도 날 것처럼 속이 메스꺼웠다.

"일전에는 웬 형사가 찾아와 자네처럼 묻더군. 정란 양이 어디 있는지 알고 있냐고. 한데, 난 모르는 일이네. 자네 누나하고는 그때 이미 다 끝났어. 지금은 나도 결혼해서 안락한 가정을 꾸려 살고 있다네."

김한영이 정색하며 말했다. 동재는 피가 거꾸로 솟구치는 것만 같았다. 얼굴이 시뻘겋게 달아올랐다.

"흠, 당신만 혼자 잘 살고 있다고요! 세상에 그리 불공평한 법이 어디 있습니까!"

정말이지 놈의 멱살이라도 틀어잡아 흔들어 대고 싶었다. 그러나 동재는 울컥하는 감정을 가까스로 추슬렀다. 지금은 그렇게 해서는 안 될 상황이었다.

"목소리 좀 낮추게!"

김한영이 차갑게 가라앉은 목소리로 말했다.

"이봐요, 당신, 우리 누나를 어떻게 한 것 아니오? 행여 누나가 당신한테 걸림돌이 될까 봐 없애 버린 것 아니냔 말이야!"

동재는 아랑곳 않고 있는 힘껏 소리를 질렀다. 김한영은 가만히 동재를 지켜보았다. 녀석은 미친놈 날뛰듯이 삿대질까지 해 가며 악을 썼다. 그러나 그 모습은 어딘지 과장되어 부자연스러워 보였다. 뭔가 따로 생각하고 있는 게 틀림없었다. 보나 마나 돈을 뜯어내려는 수작이었다.

"나한테 요구하는 게 뭔가?"

김한영이 동재의 눈을 똑바로 보며 물었다. 동재는 침으로 번들거리는 입술을 꾹 다물고 말았다. 직원들이 보는 앞에서 놈이 한 짓을 까발린 뒤에 돈을 뜯어낼 생각이었다. 그런데 놈은 도대체 반응이 없었다. 대거리를 하기는커녕 묵묵히 동재를 지켜보고만 있었다. 놈은 역시 고단수였다.

"솔직히 말해 봐. 너, 지금 돈이 필요한 거지? 누나를 미끼 삼아 한밑천 두둑이 뜯어 볼 생각인 게야. 내 말이 틀려?"

김한영은 부러 목소리를 높였다. 이쯤에서 녀석의 기를 완전히 눌러 버릴 계산이었다. 예상이 적중했는지, 녀석은 단번에 몸을 움츠렸다. 잘못을 저지르다 들킨 아이마냥 두 다리를 모으고 고개를 푹 떨구었다.

"얼마가 필요한 거냐?"

김한영이 노기를 풀고 동재를 지그시 바라보았다. 동재는 고개를 들고 김한영을 힐긋 보았다. 그러고는 고개를 도로 숙인 채 차마 떨어지지 않는 입을 벌려 작은 목소리로 말했다.

"삼천 원 정도……."

동재는 얼굴이 화끈거렸다. 김한영은 코웃음을 치더니 입가에 차가운 웃음을 띠었다. 몸을 웅크리고 있는 녀석이 더러운 구더

기처럼 보였다. 아니, 녀석은 사람의 피를 빨아먹고 사는 거머리 같은 존재였다. 눈을 돌려 책상 서랍을 열었다. 흰 봉투 하나를 꺼내 테이블 위에 툭 내던졌다.

"다시 한번 말하지만, 난 네 누나에 대해 아는 게 없어. 네 누나하고는 이제 완전히 끝난 거야. 알겠냐?"

김한영이 눈알을 부라리며 다짐받듯 말했다. 동재는 천천히 고개를 끄덕였다. 그러고는 테이블 위에 놓인 흰 봉투에 눈을 두었다. 순간, 코끝이 시큰해지면서 눈시울이 붉어졌다. 결국 누나한테 못할 짓을 하고 만 것이다.

김한영은 의자에서 일어나 창가로 걸어갔다. 뒷모습을 보이며 창밖을 내다보았다. 공장 일꾼 몇 명이 걸어가는 모습이 보였다. 후줄근한 차림의 일꾼들에게 의미 없는 눈을 두며 놈이 얼른 나가 주기만 기다렸다.

동재는 완전히 만신창이가 된 기분이 들었다. 그러나 이대로 그냥 나갈 수는 없었다. 놈이 아무렇게나 내던진 저 봉투를 반드시 들고 나가야 했다. 잠시 망설인 끝에 테이블을 향해 손을 뻗었다. 봉투를 집어 드는 손끝이 비굴할 정도로 심하게 떨렸다.

동재가 나가자, 한영은 피곤한 듯 두 손으로 얼굴을 감싸며 문질렀다. 공장 마당을 걸어가는 동재의 모습이 보였다. 녀석의 정수리를 내려다보며 불쾌한 듯 입술을 비틀었다. 한영은 정란과의 일을 떠올렸다. 약혼 사실을 알리고 그만 헤어지자는 말을 했을 때, 정란은 막무가내였다. 다른 여자들처럼 포기하고 물러설 줄 알았는데 집요하게 달라붙었다. 한마디로 지긋지긋한 여자였다.

"그러고 보니 남매가 둘 다 진드기 같은 것들이군……."

한영은 문득 강 형사의 물음이 떠올랐다.

'진심으로 그녀를 사랑했습니까?'

강 형사가 그렇게 물었을 때, 하마터면 웃음이 터져 나올 뻔했다. 애써 진지한 표정을 짓느라 잘생긴 얼굴이 못난이처럼 일그러졌을지도 몰랐다.

'내가 미쳤냐? 그런 계집들은 경성 바닥에 쌔고 쌨어!'

한영은 할 수만 있다면 그렇게 외치고 싶었다. 하지만 목구멍을 간질이며 터져 나오려는 소리를 꿀꺽 삼키고 말았다. 죽는 날까지 그런 말은 입 밖에 내서는 안 됐다. 지성과 교양을 갖춘 젊은 부호, 김한영. 신문에 실린 기사가 한영을 흡족하게 만들었다. 그러나 한영은 그것에 만족할 만큼 소박한 남자가 아니었다. 방직공장 젊은 사장 정도로는 아무래도 성에 차지 않았다. 게다가 이미 방직 기계 돌아가는 소리에도 슬슬 물리기 시작했다. 한영은 머지않아 정계로 뛰어들 생각이었다. 사생활에 흠집이 생긴다면, 높은 관직을 꿰차는 데 걸림돌이 될 게 틀림없었다. 때문에 여기저기에 난 흠집을 메우려 안간힘을 쓰지 않을 수 없었다.

"봉투에 돈을 좀 더 넣어 둘 걸 그랬나?"

한영은 늘 돈 봉투를 준비해 뒀다. 언제라도 들이닥칠지 모르는 놈들을 입막음하기 위해서였다. 돈 봉투를 쥐어 주면 대부분 두말 않고 돌아가 다시는 찾아오지 않았다. 그런데 삼천 원이라니. 한영은 생각할수록 기가 찼다.

집으로 돌아가는 길, 동재는 길가에 있는 카페 안으로 들어갔다. 목이 타서 물이라도 한잔 마시고 싶은 생각이 간절했다. 무엇보다도 진이 빠져 어딘가에 털썩 주저앉고 싶은 생각뿐이었다.

소다수 한잔을 시키고 테이블에 놓인 물을 단숨에 들이켰다. 빈속에서 도랑물 흐르듯 꾸르륵거리는 소리가 났다. 이제 좀 정신이 드는 것 같았다. 고개를 들고 카페 안을 살펴보았다. 손님이라고는 달랑 동재 혼자였다. 카페 주인 남자가 터덜터덜 카운터 앞으로 걸어가더니 레코드 음반을 틀었다. 별안간 쿵쾅거리는 음악 소리가 귀청을 찢을 듯 울려 퍼졌다.

베토벤 교향곡 「운명」이었다. 명치정 카페를 발바닥이 닳도록 들락거린 터라, 그 정도는 귀동냥으로 아는 참이었다. 쾅쾅쾅

쾅…… 첫 대목부터 가슴을 울리는 소리가 터져 나왔다. 쾅쾅쾅 쾅 쾨쾅…… 또 한 번의 울림에 가슴이 먹먹해지면서 울컥 울음 이 터질 것만 같았다. 정란의 모습이 떠올랐다. 한영을 만나며 한 껏 달떠 있던 어여쁜 누나의 얼굴이.

"헛똑똑이 같으니라고! 그놈한테 꼴좋게 당했으면 그만이지, 춤바람은 또 뭐냐고!"

동재는 문득 양놈들의 말을 배우겠다며 천주교 성당을 들락거 리던 정란의 모습이 떠올랐다. 아버지는 정란이 밖으로 나도는 걸 끔찍이도 싫어했다. 잔소리도 모자라 매를 들기 일쑤였다. 하 지만 정란은 매를 맞으면서도 양놈들의 말을 배우러 꾸역꾸역 성당을 다녔다. 누나의 집념에 아버지는 결국 두 손 두 발을 다 들고 말았다.

"한데 왜 춤바람이 나서는 돌아오지 않는 거냐고!"

정란이 춤에 완전히 취미를 붙일 무렵이었다. 동재는 정란과 크게 다툰 적이 있었다.

"계집애가 춤에 미쳐 야밤에 쏘다니고……. 아버지가 아시면 무덤에서 벌떡 일어나고 말 거다!"

그 말에 정란이 눈자위를 희뜩대며 동재를 쏘아보았다.

"계집애는 춤에 미쳐 야밤에 쏘다니면 안 된다는 법이라도 있든? 지금이 어떤 세상인데! 앞뒤가 꽉 막힌 놈 같으니라고! 흠! 아버지가 아니라 그보다 더한 이가 말려도 난 그곳에 나가 춤을 출 테야. 춤은 예술이야. 내 감정을 몸으로 멋지게 표현하는 거라고."

"예술 좋아하시네! 바람만 잔뜩 든 게지!"

"너, 참말! 그리고 댄스 구락부에 모인 사람들한테 배울 점도 한없이 많아."

동재가 버럭 외쳤다.

"춤쟁이들한테 배울 게 많다고? 팔다리를 휘청거리면서 도대체 뭘 배우는데?"

정란이 어이가 없다는 듯 말했다.

"거기 모인 분들은 네가 상상도 못 할 만큼 멋쟁이들이야."

동재는 억장이 무너져 내렸다.

"누나한테 수작이나 안 부리면 다행이지."

"수작이라고? 그 사람들이 어떤 분들인지도 모르고 함부로 말하지 마!"

정란이 두 눈을 번들거리며 열을 냈다. 얼마나 열을 내는지 동재는 그만 입을 꼭 다물고 말았다. 그렇게까지 무섭게 화내는 누나를 본 적이 없기 때문이었다. 춤에 빠져 하나밖에 없는 동생

따위는 눈에도 들어오지 않은 것이다. 모두 김한영 그 작자 때문이었다. 그놈을 잊으려고 누나는 안간힘을 쓰고 있었다.

정란이 야밤에 들어오는 수요일이면, 동재는 열이 나서 잠을 쉬 이루지 못했다. 반면에 정란의 얼굴은 하얀 박꽃처럼 화사하게 피어났다. 피곤에 절어 점점 야위어 갔으나 눈빛만은 생기를 띠며 밝게 빛났다. 때문에 동재는 더 이상 대놓고 정란에게 시비를 걸지 않았다. 그 작자를 마음에서 잊은 듯하여 조금은 안심이 되었다. 하지만 지금은 말리지 못한 자신이 너무나 후회스러웠다. 정란이 수요일 저녁에 사라져 버릴 거라고는 상상도 하지 못했으니까.

다시금 쾅쾅쾅 쾅…… 음악 소리가 울려 퍼졌다. 동재는 가슴이 찢어질 것 같은 고통이 몰려왔다. 고개를 숙인 채 가슴을 쓸어내리고 있는데, 누군가 다가와 우뚝 멈춰 섰다. 멍하니 위를 올려다보았다. 강 형사였다. 물귀신 같은 작자가 자기를 따라다닌 거였다. 동재는 그리 놀랄 것도 없는 얼굴로 투덜거렸다.

"젠장! 저를 미행했군요?"

강 형사가 쓴웃음을 지으며 맞은편 의자에 털썩 앉았다.

"직업상 나도 어쩔 수가 없잖아."

강 형사는 동재의 얼굴을 살폈다. 녀석의 얼굴이 핏기 하나 없이 창백했다.

"어디 아픈 거냐?"

"신경 쓸 것 없어요!"

동재가 쏘아붙였다.

"소리 지르는 걸 보니 곧 죽을 것 같지는 않구면."

동재는 강 형사를 보며 눈을 흘겼다. 그 사이에도 카페 안에서는 「운명」이 쉴 새 없이 울려 퍼졌다.

"동성방직 사장한테는 왜 간 거냐?"

강 형사가 물었다. 동재는 강 형사를 외면하면서 코웃음을 쳤다. 강 형사도 서두르지 않았다. 어차피 오늘도 아내는 집으로 돌아오지 않을 것이다. 이곳에서 날을 새운다 한들 나무랄 사람이 없었다.

"그런 것까지 다 말해야 하나요?"

동재는 불만이 가득한 얼굴이었다. 강 형사가 말없이 고개를 끄덕였다.

"그자한테 돈을 뜯으러 갔어요. 됐어요?"

쏘아붙이고 나자 정말로 모양 안 나는 일이라는 생각이 들었다. 얼른 소다수를 한 모금 들이켰다. 강 형사는 무슨 말인지 몰라 고개를 갸웃했다.

"왜 안 믿으시죠? 그자를 찾아가 돈을 뜯어냈단 말이에요! 우리 누나를 가지고 놀다 차 버렸으니, 이제라도 보상해야 할 것 아니에요! 누나를 뒷조사하고 다니시는 것 같던데, 형사님도 그 정도는 아실 것 아닙니까!"

그제야 녀석이 주절대는 소리를 알아차렸다. 강 형사는 어금니를 질끈 깨물었다. 생판 모르는 녀석이었다면 벌써 주먹을 날렸을지도 모른다.

동재는 보란 듯이 주머니에서 흰 봉투를 꺼냈다. 녀석은 수수깡 인형처럼 고개를 흐느적거리며 봉투 안에 들어 있는 돈을 꺼내 흔들었다. 십 원짜리 지폐가 다섯 장쯤 돼 보였다.

"형사님, 딱 오십 원입니다요. 쩨쩨하게 오십 원을 줬다고요!"

"사지 멀쩡한 놈이 제 손으로 돈벌이할 생각은 않고!"

마침내 강 형사가 낮은 목소리로 외쳤다.

"흠. 형사님께서 그런 것까지 참견하실 일은 아니잖아요?"

강 형사는 어금니를 깨물며 녀석의 눈을 뚫어지게 바라보았다. 녀석은 움찔하더니 금세 수그러들었다. 웬일인지 눈가가 촉촉이 젖어들었다.

"형사님, 우리 누나 좀 찾아 주세요……. 이렇게 오래도록 소식이 없다는 건…… 아무튼 느낌이 좋지 않아요."

기어코 동재가 마음을 드러내 보이며 울먹였다. 오늘은 정말 종잡을 수 없을 정도로 감정의 기복이 심했다.

"실종이 아니라고 한 건 어떻게 하고?"

"그건 누나가 미워서 한 소리였지요. 한데, 이젠 참말 걱정돼 죽겠습니다요. 뭔가 잘못된 것 같다고요!"

"안 그래도 정란 양을 찾아볼 생각이야. 나 역시 느낌이 좋지 않아. 네 누나, 채정란은……."

이야기를 꺼내려다 강 형사는 그만두었다. 울먹이는 녀석 앞에서 도대체 무슨 말을 꺼내려고. 동재의 눈동자가 쉴 새 없이 흔들렸다.

"혹시 우리 누나가 잘못됐나요? 죽기라도 했어요?"

"아니, 그런 게 아니야. 하지만 나도 아직은 아무것도 몰라."

"강 형사님은 누나를 뒷조사하고 다녔잖아요? 헌데 왜 아무것도 모른다는 거예요?"

"아무런 흔적을 남기지 않았으니 나도 도통 감을 잡을 수가 없어. 마치 연기처럼 사라져 버린 것 같아."

"그렇다면 제가 누나를 찾아보겠습니다요."

동재는 입을 꼭 다물고 강 형사를 응시했다.

"수사는 우리가 해. 그러니까 넌 누나 일로 함부로 사람을 만

나거나 하지 마. 그러면 네 누나를 찾기가 더 힘들어진다고. 알아
들어?"

강 형사가 따끔하게 충고했다.

"내 누나예요! 나도 누나를 찾고 싶다고요!"

동재도 지지 않고 대꾸했다. 오기가 밴 눈으로 강 형사를 쏘아
보았다.

"허 참, 네가 나서면 수사에 혼선을 빚게 된다고! 왜 말을 그리
못 알아들어!"

강 형사는 얼굴이 벌게졌다. 동재한테서 시선을 거두고 자리
에서 벌떡 일어섰다. 마음이 좋지 않았다. 채정란이 만약 김 노인
의 살해범으로 드러난다면, 녀석은 어떤 표정을 지을까. 애써 찾
아 달라고 한 자신의 말을 죽을 때까지 후회할지도 모른다. 차라
리 묻어 둘걸, 하면서 두고두고 가슴을 쳐야 할지도. 강 형사는
속이 답답했다. 카페 출입구를 나가려다 말고 뒤돌아 녀석을 향
해 소리쳐 말했다.

"자식아, 그러니까 이제부턴 똑바로 살아!"

그러나 그 소리는 베토벤의 「운명」에 묻혀 허공에서 흩어지고
말았다. 녀석은 테이블에 엎드린 채 꿈쩍하지 않았다.

쾅쾅쾅 쾅…… 다시금 그 대목이 울려 퍼졌다. 동재는 또다시

가슴이 아렸다. 쾅쾅쾅 쾅 콰광…… 망할 클라이맥스 부분이었다. 격정적인 선율이 톱니바퀴처럼 휘돌며 가슴을 갈기갈기 찢어 놓았다. 그 순간, 동재는 참았던 울음을 터뜨렸다.

"누나, 내 잘못했다…… 제발 좀 나타나 주라……."

울먹이며 외쳐도 돌아보는 이가 하나 없었다. 위로가 되는 건 카페 안에 아무도 없다는 것, 단지 그것뿐이었다.

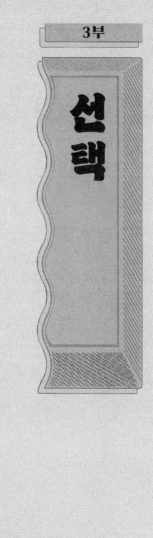

3부

선택

12

　오전 7시, 종로경찰서는 완전히 발칵 뒤집혔다. 김 노인을 죽인 범인이 잡혔다. 아니, 범인이 제 발로 찾아와 자수했다고 한다. 김 노인이 살해된 지 정확히 한 달이 되는 날이었다.

　소식을 전해 들은 강 형사는 부리나케 경찰서로 들어왔다. 이른 아침부터 경찰서 안은 어수선하기 짝이 없었다. 제복 경찰들이 출입구 앞에 도열했고, 형사들이 분주하게 움직였다.

　취조실 앞에는 이미 십여 명이나 되는 형사들이 둘러서 있었다. 사토 서장이 팔짱을 끼고 서서 유리 너머 범인을 주시했다. 강 형사와 눈이 마주치자 사토는 다시금 취조실로 눈길을 돌렸다. 강 형사는 눈인사를 건네고 나서 취조실 앞으로 다가섰다.

박 형사가 범인을 심문하고 있었다. 수갑을 찬 채 고개를 푹 떨구고 있는 범인은 열예닐곱 살쯤 돼 보이는 청년이었다. 공들여 빗어 넘긴 머리에 하늘색 셔츠를 입은 모습이 멋깨나 내고 다니는 놈 같았다. 한눈에도 그동안 놀던 가락이 확연히 드러났다.

"뭐 하는 놈이야?"

강 형사가 곁에 서 있는 형사를 곁눈질하며 물었다.

"카페 점원을 하는 놈이랍니다."

청년이 고개를 천천히 들었다. 깡마른 얼굴이 겁에 질려 몹시 파리했다. 청년은 박 형사가 묻는 말에 내내 고개를 끄덕였다.

조금 뒤 박 형사가 밖으로 나왔다. 강 형사는 박 형사 곁으로 다가가 말을 걸었다.

"저놈 짓이 확실해?"

박 형사가 찜찜한 표정을 짓더니 고개를 끄덕였다. 그러고는 주위를 의식하며 낮은 목소리로 말했다.

"쟤, 채동재 친구예요. 양영달이라고……. 지난번에 형이 뒷조사해 보라고 해서 만난 적이 있어요."

순간, 강 형사는 머리를 세게 얻어맞은 것처럼 아찔한 기분이 들었다. 뭔가 덫에 걸린 것만 같았다. 취조실 안으로 단숨에 뛰어 들어가고 싶은 걸 간신히 눌렀다.

"왜 죽였대?"

"도박 빚을 갚으려고 김 노인 뒤를 밟다가 저도 모르게 죽였답니다."

"뭐어?"

강 형사는 어처구니가 없었다. 그럴듯한 각본이었으나 어딘지 궁색하기 짝이 없었다. 녀석은 감옥에 들어갈 작정이라도 한 것처럼 어떤 질문에도 고개를 끄덕이기만 했다. 강 형사는 거칠게 숨을 몰아쉬었다. 고개를 푹 떨구고 있는 영달을 보자, 눈에서 불이 나는 것만 같았다. 더 이상 참지 못하고 튕기듯 취조실 안으로 들어갔다.

"저 사람, 저거 왜 저래?"

사토 서장이 소리를 버럭 질렀다. 다른 형사들도 혀를 내두르며 강 형사가 하는 양을 지켜보았다.

"네가 김 노인을 죽였냐?"

강 형사는 의자에 앉을 생각도 하지 않았다. 깨부술 듯 의자 등받이 위를 두 손으로 움켜잡고 다그쳐 물었다. 영달은 겁에 질린 얼굴로 고개를 들었다. 처음 보는 형사였으나 직감적으로 누구인지 알아챘다. 동재가 말하던 바로 그 강 형사라는 사람이었다. 우락부락한 강 형사의 얼굴을 보자 오줌보가 팽팽하게 당겨왔다. 속을 꿰뚫듯 바라보는 눈빛이 저승사자보다도 무서웠다. 무릎 위에 올려놓은 양손이 덜덜 떨리기 시작했다. 오므리고 있던 다리도 눈에 띄게 떨렸다. 영달은 다시금 고개를 푹 꺾고 말았다.

"고개 들고 내 눈 똑바로 쳐다봐!"

강 형사가 이 사이로 소리를 내며 윽박질렀다. 영달은 가까스로 고개를 들었다.

"네가 안 죽였지?"

밖에서 야유하는 소리가 희미하게 들려왔다. 강 형사는 아랑곳 않고 집어삼킬 듯 영달을 쏘아보았다. 영달은 벌벌 떨면서 고개를 가로저었다.

"이 새끼야, 내 눈 똑바로 쳐다보고 대답해! 다시 묻겠다. 넌 범인이 아니야, 그렇지?"

영달은 얼굴을 찌그러뜨리며 울음을 터뜨렸다. 울부짖으면서도 푹 떨군 고개를 세차게 가로저었다. 낯빛이 완전히 사색이 되었다. 금방이라도 발작을 일으킬 것처럼 온몸을 부들부들 떨었다.

강 형사는 분노로 얼굴이 시뻘겋게 달아올랐다. 녀석은 범인이 아니었다. 저렇게 배짱 없는 놈이 사람을 칼로 찔러 죽일 수는 없었다. 더구나 부검 결과, 우발적인 범행이 아니라고 하지 않았던가. 범행은 계획적으로 이뤄졌다. 그러니까 피해자의 동선을 잘 아는 가까운 지인이거나 혹은 살인 청부업자가 저지른 짓이었다. 놈은 상습적인 도박꾼이긴 하나 아직 전과 기록은 없다고 들었다. 이건 누군가의 사주가 틀림없었다.

"누구냐? 누가 너더러 이렇게 하라고 시켰어?"

강 형사가 주먹으로 탁자를 쾅 내리치며 소리쳤다. 철제 탁자 한가운데가 움푹 파여 들어갔다. 영달은 거의 기절할 지경이었다. 그 와중에도 고개를 정신없이 가로저었다.

"제, 제가 죽였습니다요…… 도, 도박 빚을 갚으려고…….."

영달은 벌벌 떨며 수백 번이나 연습한 말을 중얼거렸다. 예상치 못한 이 상황이 너무나 고통스러웠으나 이제는 돌이킬 수 없었다. 사실을 고백한다 해도 어차피 상황은 마찬가지였다. 밖으로 나가면 배두식 손에 잡혀 죽을 게 뻔했다. 그러니 끝까지 밀어붙이는 수밖에 없었다. 김 노인을 죽인 범인은 나, 양영달이라고. 영달은 그 말을 끊임없이 뇌리에 각인시켰다.

"이런, 개새끼!"

마침내 강 형사가 탁자를 밀치고 영달의 멱살을 틀어잡았다. 영달은 곧 죽을 것처럼 눈 흰자위를 드러내며 꺽꺽 소리를 냈다. 강 형사는 손에서 힘을 빼지 않았다. 그러기는커녕 녀석의 멱살을 틀어잡은 손에 더욱 힘을 주었다.

"강 형사, 이거 너무 심하잖아!"

형사 둘이 뛰어 들어와 강 형사를 제지하고 나섰다. 강 형사는 양쪽 어깨를 붙들린 채 몸부림쳤다.

"이 새끼들아, 이거 안 봐! 저 새끼는 범인이 아니야! 누군가 시킨 게 분명하다고!"

강 형사가 발악했다. 그러나 두 명의 형사한테 붙들려 취조실 밖으로 질질 끌려 나왔다.

사토 서장이 차가운 눈으로 강 형사를 바라보았다. 강 형사는 취조실을 노려보며 분을 참지 못해 씩씩거렸다.

"자네 내 방으로 들어오게!"

사토 서장이 아랫입술을 질끈 깨물고는 앞서 걸어갔다.

"자네, 도대체 뭣 때문에 그러나?"

사무실 책상 앞에 앉아 한결 차분해진 얼굴로 사토 서장이 물었다.

"서장님, 저놈은 범인이 아닙니다. 범인은 채정란이에요. 그 여자가 김 노인을 살해했다고요!"

"이런! 범인이 자백했는데도 그렇단 말인가?"

사토의 얼굴이 벌겋게 달아올랐다.

"네, 범인은 틀림없이 그 여자입니다. 이제 그 여자를 잡기만 하면 돼요! 제게 조금만 더 시간을 주십시오!"

강 형사도 붉게 달아오른 얼굴로 악쓰듯 대꾸했다. 사토 서장이 이를 악물며 강 형사를 노려보았다. 두 사람 사이에 무거운 침묵이 흘렀다.

"자네, 요즘 집안에 문제 있나?"

침묵을 깨고 사토 서장이 비아냥거렸다. 마치 손바닥 내려다보듯 다 알고 있다는 투였다. 강 형사는 말문이 막혀 입을 다물고 말았다. 앙상하게 마른 아내의 얼굴이 떠오르자 가슴이 울컥했다.

배 속에 있는 아기가 유산되었다는 소식을 들은 건 사흘 전 저녁이었다. 임신한 사실조차 알지 못했는데 유산했다는 소식에 강 형사는 가슴이 무너져 내렸다. 아내는 임신 두 달째에 접어들면서 유산을 했다고 말했다. 아내가 아픈 건 바로 그 후유증 때문이었다. 그날 저녁 찾아간 처갓집에서도 아내는 이부자리에 누워 있었다. 아내는 말할 수 없이 야위었다. 마치 곡기를 끊은 사람처럼 숫제 뼈만 앙상했다.

"왜 진작에 말하지 않았소?"

강 형사는 자기가 생각해도 참 뻔뻔스럽다는 생각을 하며 그렇게 물었다. 아내는 원망이 가득한 눈으로 말없이 강 형사를 바라보았다. 커다란 눈에 눈물이 고이자 고개를 떨구며 푸념하듯 말했다.

"당신에게는 아기를 가졌다고 말할 시간조차 없었어요……."

흐느껴 우는 아내를 홀로 두고 강 형사는 처갓집을 나왔다. 자신의 가슴을 쥐어뜯고 싶은 심정이 들었다. 조금만 더 다정한 남편이었다면 아기가 유산되는 일 따위는 겪지 않았을지도 몰랐다. 아내는 혼자 잠을 자야 하는 밤이 무섭다고 버릇처럼 말하곤 했다. 공포가 임신한 여자에게 좋지 않다는 이야기를 들은 적이 있었다. 일 때문이라고 변명하기에는 아내가 겪었을 고통이 너무나 컸다. 수많은 생각의 조각들이 칼날처럼 강 형사의 가슴을 찢어 댔다.

"이번 사건에서 자네는 그만 빠지게!"

사토 서장이 강경하게 나왔다. 강 형사는 어금니를 질끈 깨물었다. 안 그러면 그 누구에게든 주먹이 날아갈 것 같아서였다.

"상사의 말에 반항하겠다는 건가?"

사토가 눈알을 부라렸다.

"네, 알겠습니다……."

강 형사는 그렇게 대답할 수밖에 없었다. 그렇게 하지 않으면 도대체 어떻게 할 것인가! 머릿속에서 팽팽하게 조여 있던 줄이 툭툭 끊어지는 소리가 났다. 허탈감이 몰려와 온몸에서 기운이 쏙 빠져 버렸다.

"앞으로 부인한테 신경 쓰게. 몹시 아프다는 소리를 들었어."

강 형사는 밖으로 걸어 나오다 말고 사토 서장을 돌아보았다. 사토가 안쓰러운 얼굴로 강 형사를 바라보았다. 공적인 일과는 별개로, 언제나 그렇듯 그의 마음은 진심인 듯 보였다.

강 형사는 담배를 한 대 피우고 나서 취조실로 발걸음을 돌렸다. 이번 사건에서 빠지라는 명령을 받았지만 미련이 남는 건 어쩔 수가 없었다. 영달을 마지막으로 한 번만 더 보고 나서 완전히 발을 뗄 생각이었다.

영달은 주눅 든 얼굴로 여전히 고개를 떨구고 앉아 있었다. 그 모습을 보자 강 형사는 다시금 억장이 무너져 내렸다. 어떤 조건으로 살해범이 되기로 결심했는지 모르지만, 그 대가가 만만치 않을 것이다. 녀석은 범죄자라는 낙인이 찍힌 채 평생을 살아가야 한다. 그 때문에 새로운 일을 찾기 어려울 것이고, 살인 사건이 터질 때마다 제일 먼저 용의 선상에 오르는 고달픈 인생을 살게 될 것이다. 그런데 어리석게도 그 많은 비난과 불이익을 감수하고서라도 살해범이 되겠다고! 생각이 거기에 미치자 강 형사는 서서히 화가 치밀어 오르기 시작했다. 화를 참기 위해 어금니를 깨물며 주먹을 불끈 쥐었다.

'아니야……. 저 녀석은 절대 아니라고!'

뻔한 진실 앞에서 눈을 감으려니 역시나 속이 확 뒤집혔다. 강 형사는 터질 듯 부풀어 오르는 화를 참지 못해 경찰서 밖으로 뛰쳐나갔다.

13

 닷새 만에 나온 거리는 짙은 가을빛을 띠었다. 가로수 나뭇잎
들은 그사이 누렇게 빛이 바랬고, 외투를 입은 사람들의 차림새
또한 한결 두툼해졌다.

 동재는 무턱대고 거리를 걸었다. 영달을 생각하면 답답해서
견딜 수가 없었다. 바윗덩어리라도 들어 있는 양 가슴이 묵직해
지면서 뻐근했다.

 "머저리 같은 놈, 배두식이 하는 말을 믿어! 그놈은 악질 중에
악질이라고!"

 동재는 또다시 울화가 치밀었다. 인생 망가뜨릴 짓을 부러 제
발로 찾아 들어가 하겠다는 녀석이었다. 아무리 생각해도 한심

하기 짝이 없었다. 그러면서도 마음 한구석이 짠했다.

"감옥 안이 춥지만 않으면 좋겠구만……."

종로경찰서를 찾아가기 전날, 밤늦게 찾아와 녀석은 그런 소리를 지껄였다. 애써 아무렇지도 않은 척했으나 영달의 눈에 물기가 스며들었다. 영달이 별나게도 추위를 많이 타는 게 동재는 줄곧 마음에 걸렸다.

"에라, 이 등신 같은 놈아!"

땅바닥을 툭 걷어차며 종로통 네거리 쪽으로 걸어갈 때였다. 골목길에서 김금만 패거리가 걸어 나오는 모습이 보였다. 동재는 귀신 보듯 얼굴에서 핏기가 싹 사라졌다. 바짝 굳은 얼굴로 침을 삼키고는 상가 출입구 쪽으로 재빨리 몸을 피해 달아났다.

금만이 건달들을 거느리고 상가 앞을 지나갔다. 동재는 고개를 빼고 금만의 뒷모습을 바라보았다. 기름을 발라 착 빗어 넘긴 뒤통수가 닭 대가리마냥 자그마했다. 유치장 생활이 고달팠던지 그사이 금만은 많이 야위었다. 그러나 날개라도 달린 양 가벼운 발걸음이 포르르 날아오를 듯했다. 어깨를 쭉 펴고 팔을 휘저으며 걷는 모습이 세상을 얻은 듯 의기양양했다. 그 모습을 보고 있으니 동재는 화가 나서 미칠 것 같았다.

"나쁜 놈들! 죄 없는 영달이한테 살인죄를 뒤집어쓰게 했어!"

모든 걸 확 까발리고 싶은 욕구가 목구멍까지 치밀고 올라왔다. 동재는 강 형사를 만나고 싶은 생각이 간절했다. 강 형사라면 자기 말을 모두 믿어 줄지도 모른다. 그런 생각을 하자 동재는 심장이 떨렸다. 모든 걸 실토한다면 배두식이 가만있지 않을 것이다. 쥐도 새도 모르게 자기를 처치해 버릴지도 모를 일이었다.

"예서 뭐 하나?"

겁에 질린 동재 곁으로 누군가 다가와 말을 걸었다. 동재는 기겁한 얼굴로 슬그머니 뒤를 돌아보았다. 유미코였다. 화장기 없는 청순한 얼굴이 또래보다 훨씬 더 앳돼 보였다.

"뭐 죄 지은 거 있냐? 왜 그리 놀라?"

유미코가 눈을 가늘게 뜨고 동재를 위아래로 훑어보았다.

"말하는 것하고는……. 한데 넌 한성파라에는 안 있고 어딜 그리 쏘다니냐?"

동재가 쏘아붙였다. 그러나 유미코를 보니 마음이 한결 편안해졌다.

"간만에 동대문에 옷감 떼러 간다. 오늘은 나도 쉬는 날이거든."

"옷감은 뭐 하러 떼냐? 어디 선이라도 보러 가냐?"

웬일로 불쾌한 기색도 없이 유미코는 동재의 얼굴을 찬찬히 살폈다. 그러고는 본래 모습으로 돌아와 퉁바리를 놓았다.

"내가 한가하게 선이나 보러 다닐 것 같으냐? 이래 봬도 난 아주 바쁜 몸이거든."

"카페 여급 주제에 뭐 그리 바쁘다고……. 왜, 김금만이를 만나 주기라도 할 참이냐?"

그제야 유미코가 눈이 째지도록 동재를 노려보았다.

"내가 왜 그놈을 만나냐? 그놈이 경성에 빌딩을 갖고 있는 갑부라 해도 난 싫다."

"그 말 참말이냐? 부자면 최고 아니냐?"

동재가 떠보듯 묻자 유미코는 관심도 없다는 듯 잘라 말했다.

"부자도 부자 나름이지. 난 일 안 하고 돈 버는 부자는 떼로 줘도 싫다. 모리배나 다름없지. 난 중요한 일이 있어 입고 나갈 옷을 만들 참이야. 양장점에 갔더니 옷값이 왜 그리 비싸. 까짓것 옷감을 떼다가 한 벌 뚝딱 만들어 입으면 배는 싸겠더라."

동재가 씩 웃었다.

"한데 중요한 일이라는 게 뭐냐?"

유미코가 다시 동재를 위아래로 훑어보더니 말했다.

"그건 네가 알 것 없다. 뭐 말이 통해야 이야기를 해 주든지 말든지 하지."

유미코의 무시하는 말투에도 동재는 굴하지 않았다. 낯빛을 달리하며 은근히 물었다.

"같이 갈까나?"

유미코는 동재를 샐쭉 보았다.

"일 없거든. 보아하니 할 일도 없고 심심해 죽을 것 같은데, 일 없으면 똥이나 퍼 나르시든지."

"뭐, 똥을 퍼?"

"똥 푸는 일이 새로운 직업으로 각광 받는 거 몰라? 집집마다 똥 퍼 주는 일꾼 말이야. 백수 주제에 입에 풀칠하려면 똥이라도 퍼 날라야지 별수 있냐!"

"요 계집애가!"

동재가 주먹을 치켜들었다. 유미코는 눈 하나 깜짝하지 않았다. 그러기는커녕 동재를 빤히 쳐다보며 영달이 소식을 확인했다.

"그나저나 영달이가 사람을 죽이고 감옥에 들어간 게 사실이냐?"

유미코 귀에도 소식이 들어간 모양이었다. 동재는 눈을 내리뜨며 씁쓸한 얼굴로 말했다.

"영달이가 그런 짓을 할 리가 있냐? 녀석은 지금 음모에 걸려든 거야. 멍텅구리 같은 녀석……."

"내 그럴 줄 알았어! 간이 쥐 똥구녕만 한 녀석이 사람을 죽였을 리가 없지. 어떤 놈들인지는 몰라도 죄다 똥물에 쓸어 버렸으면 좋겠구먼!"

유미코가 눈자위를 희뜩대며 몸을 부르르 떨었다. 뭔가 생각하는 눈치더니 이번에는 입에 거품까지 내뿜으면서 펄쩍 뛰었다.

"얼씨구! 내 돈 삼 원은 어쩌고 지가 감옥엘 들어가! 이런 똥물에…… 아니, 아니지. 십 년이면 삼 원에 대한 이자가 도대체 얼마야?"

동재는 어이가 없었다. 이 지경에도 억척을 떠는 유미코가 얄밉기 짝이 없었다. 손가락을 까닥거리며 돈 계산을 하고 있는 유미코에게 불쑥 욕이 터져 나왔다.

'이런, 똥물에 쓸어 버릴…….'

그러나 차마 그 소리를 입 밖에 내지는 못했다.

"한데, 그 소식 들었냐?"

유미코가 동재에게 불쑥 물었다.

"무슨 소식?"

"얘가 아주 깜깜하구나! 어젯밤에 칠성파 우두머리 김칠성이가 잡혀 들어갔다잖아. 그 치가 본정경찰서에 잡혀간 거 참말 몰라?"

"그래? 허면 경성은 완전히 배두식 패거리 판이 되겠구먼."

그러자 동재는 또다시 화가 치밀었다. 놈들이 휘젓고 다닐 생각을 하니 속이 확 뒤집혔다.

"세상 돌아가는 일에 저리 까막눈이니 어떻게 입에 풀칠을 하려고, 쯧쯧……."

유미코가 딱하다는 표정을 지었다.

"한데 그 말 참말이지?"

동재가 얼굴을 찌푸리며 물었다.

"입 아프게 내가 왜 거짓말을 하냐?"

쌀쌀맞게 대꾸하더니 유미코는 동대문 쪽으로 발걸음을 돌렸다. 동재는 그 뒷모습을 아쉬운 듯 바라보았다. 유미코는 작달막해도 체격이 꽤나 다부졌다. 내면 또한 마찬가지였다. 돈 한 푼이라도 허투루 쓰지 않는 걸 보면 볼수록 속이 꽉 찬 사람이었다.

'대체 중요한 일이란 게 뭘까…….'

골똘히 생각하다 동재는 곧 배두식을 떠올렸다. 살기 어린 눈빛과 왼쪽 눈 밑에 두드러진 오 센티미터의 칼자국, 사방으로 울려 퍼지는 저음의 걸걸한 목소리, 사람을 숨 막히게 만드는 변덕과 폭력……. 두 번 봤을 뿐인데, 그의 눈짓과 몸짓 하나하나가 선명하게 떠올랐다. 정말이지 괴물이나 다름없는 사람이었다.

동재는 온몸에 오소소 소름이 돋았다. 배두식이 언제 또 자기를 잡아들일지 알 수가 없었다. 아직 백 원을 갚지 못한 터였다. 결국 빌린 돈을 갚지 못해 영달은 살인죄를 뒤집어쓰고 감옥에 들어가지 않았는가! 아무래도 강 형사를 만나야 했다. 영달이 범인이 아니라는 건 어쩌면 그도 알고 있을지도 모른다. 왜냐하면 강 형사가 범인으로 지목하고 있는 사람은 바로 누나이기 때문이다. 그런데 그자가 왜 가만히 있는 걸까…….

고민에 휩싸인 채 동재는 거리를 걸었다. 상점에 들어가 강 형사에게 전화를 하고 싶은 생각이 들었다. 그러나 그때마다 머릿속에서 배두식의 얼굴이 떠올랐다. 죽을지도 모른다는 생각이 동재를 진저리 치게 만들었다. 모든 걸 실토하기까지, 동재에게는 아직 시간이 필요했다.

강 형사는 미간을 좁히며 신문을 읽었다. 오늘 아침 신문에 명치정 칠성파 두목 김칠성이 체포됐다는 기사가 났다. 그 부분을 벌써 다섯 번도 넘게 읽은 터라 거의 외울 지경이었다. 김칠성은 도박, 상해죄, 공무집행방해 등으로 기소될 거라고 했다.

"경성 바닥은 바야흐로 배두식 세상이 되겠군."

중얼거리다 말고 강 형사는 별안간 얼굴이 납빛이 되었다. 머릿속으로 번개와도 같은 생각이 번뜩 스치고 지나갔다. 다시금 신문을 와락와락 넘기며 기사를 찾아 읽었다. 순간, 둔탁한 무언가가 머리를 세게 치고 날아가는 기분이 들었다.

'설마……?'

강 형사는 웃옷을 집어 들고 경찰서 밖으로 나왔다. 서둘러 전차 정류장을 향해 걸어갔다. 본정경찰서를 찾아가 김칠성을 만날 생각이었다.

저 멀리 본정경찰서가 보이자 심장 박동이 거세졌다. 거의 뛰다시피 해서 경찰서 안으로 들어갔다.

"김칠성이, 잘 지내나?"

강 형사는 유치장 철창문을 통해 초췌한 김칠성과 마주 앉았다.

"너한테 몇 가지 물어볼 게 있어 찾아왔다."

김칠성은 강 형사를 가만히 보고만 있었다. 표정이 없는 얼굴이었다.

"천하의 김칠성이가 어쩌다 철창 신세를 지게 됐나? 똘마니 금만이는 유치장서 벌써 나왔다던데……?"

비아냥거리는 말투에 김칠성이 단번에 얼굴을 일그러뜨렸다. 낯빛이 검붉어지더니 이를 갈며 욕을 내뱉었다.

"김금만이…… 이 개상놈의 새끼!"

강 형사는 먹이를 노리는 뱀의 눈처럼 날카롭게 김칠성을 응시했다.

"무슨 소리를 하는 거냐? 금만이가 왜?"

강 형사는 얼굴을 철창으로 들이밀며 다그쳤다.

"날 이 꼴로 만든 놈이 종로 김금만, 그놈이란 말입니다!"

"그래? 배두식이 아니고?"

"종로파 배두식은 이제 맛이 갔어요. 몸이 그렇게 불어서 어디 쌈질이나 하겠어요. 일선에서 손 놓은 지 꽤 됐단 말입니다. 대신에 금만이를 꽂아 놓고 잘 부려 먹고 있습니다요. 스무 살도 처먹지 않은 어린놈을 자식새끼처럼 애지중지하며 키우고 있다고요. 김금만이가 유치장서 나왔다고 했습죠? 내 어이가 없어서…… 이게 다 김금만, 그놈 머리에서 나온 거예요. 경성고보를 중퇴한 유일한 건달이잖습니까?"

그러고 나서 김칠성이 잠시 머뭇거렸다. 강 형사는 바짝 조바심이 났다. 신문을 보고 나서 든 감이 확실할지도 모른다는 생각이 든 탓이었다.

"좀 더 자세히 말해 봐. 혹시 아나? 내가 어떻게 손을 좀 써 볼지도."

"참말입니까요? 솔직히 말하면 종로파를 족쳐 주실랍니까?"

"그럼!"

강 형사가 고개를 크게 끄덕였다.

"아, 글쎄 어찌하다 보니 제가 조선취인소 관계자랑 손잡고 장난을 좀 쳤지 뭡니까요."

"장난이라면, 주식 시세를 조작했다는 거냐?"

"에고, 크게는 아니고 살짝 건드렸습니다요. 한데 고것을 금만이가 어떻게 알아 가지고 경찰한테 꼰지른 거 같습니다요. 먼저 배두식한테 일러바쳤겠지요."

"그래?"

강 형사는 심장이 세차게 뛰었다. 역시 배두식이었다. 하면 그자가 사토 서장을? 생각이 거기에 미치자 강 형사는 얼굴이 벌겋게 달아올랐다. 사토 서장은 김 노인 살해범을 잡지 못해 안달이 나 있었다. 김금만이 한 달이 다 되도록 버티고 있으니 미칠 지경이었을 것이다. 동대문 부녀자 살인 사건에 연이어 터진 김 노인 살인 사건을 풀지 못하면, 민심에 못 이겨 사토는 결국 옷을 벗어야 할지도 몰랐다. 그런 위기감이 사토로 하여금 배두식과 거래를 하게 만든 건지도 몰랐다. 김 노인 살해범을 주는 대신 눈엣가시 김칠성을 족쳐 달라. 그게 배두식의 조건이었을 것이다. 그런데 칠성의 말을 듣고 보니, 이게 모두 김금만에게서 나온

각본이었다. 어린 녀석이라고 얕잡아 봤다간 코가 깨질 거물급 건달이었다.

"너, 재판정에 서서 그렇게 말할 자신 있냐?"

강 형사가 낯빛을 달리하며 진지하게 물었다.

"그, 그거야, 강 형사님이 뒤를 봐주신다면 당연히 그렇게 말해야지요."

"알았어! 조만간 다시 보자고!"

김칠성은 후닥닥 걸어 나가는 강 형사를 멍하니 바라보았다.

'어떻게 할까……'

종로경찰서 건물을 올려다보며 강 형사는 잠시 생각에 잠겼다. 그러고는 건물 안으로 들어가서 신문을 집어 들고 곧장 서장실로 향했다. 어차피 이판사판이었다. 사토 서장을 설득하든가, 아니면 옷을 벗든가.

"서장님, 여길 좀 보십시오."

강 형사는 신문을 펼쳐 보이며 기사를 손가락으로 가리켰다.

"뭔가?"

사토가 의자 등받이에서 몸을 떼며 물었다.

"칠성파 두목 김칠성이가 본정경찰서에 잡혀 들어갔답니다."

"그건 나도 알고 있어."

사토가 강 형사를 빤히 바라보았다. 흔들림 없는 그의 눈빛에 강 형사는 순간적으로 몸을 움찔했다. 그러나 이제 더 이상 물러설 마음은 들지 않았다. 상대를 똑바로 바라보며 강하게 밀어붙였다.

"뭔가 좀 구리지 않습니까?"

"이 사람, 지금 무슨 소리를 하는 거야?"

예상했던 대로 사토는 신경질적인 반응을 보였다.

"자, 보십시오. 배두식이 아끼는 김금만이가 풀려났습니다. 그리고 양영달이라는 청년이 김 노인을 죽였다고 자백했습니다. 한데 얼마 지나지 않아 배두식의 적수인 김칠성이 경찰에 체포됐습니다. 그것도 배두식이 정보를 줘서 말입니다."

"그게 뭐 어떻다는 거야?"

"생각해 보십시오. 이건 거래일 가능성이 큽니다. 배두식이 경찰 쪽 사람을 사주해서 대가를 주고 거래한 것 같습니다. 덕분에 배두식은 한 번에 두 개의 목적을 달성한 셈이지요. 김금만을 빼내면서 동시에 김칠성을 잡아들였으니까요."

"하면 사주를 받은 게 본정 쪽이라는 거야? 아니면 이곳 종로 경찰서란 거야?"

사토가 대놓고 노골적인 질문을 던졌다. 때로 경찰 조직은 건달패와 마찬가지로 논리가 통하지 않는 곳이었다. 강 형사는 사토의 뻔뻔스러운 대꾸에 등골이 오싹해졌다. 사토가 이번 사건에 개입했건 안 했건, 이건 엄연히 위계질서를 무너뜨리는 행동이었다. 사토의 눈에는 여전히 신경질이 배어 있었다.

"그것까지는 아직 잘 모르겠습니다. 하지만 배두식이 양영달이라는 미끼를 경찰에 던져 주고 적수인 칠성파를 족치려는 수작인 건 확실합니다. 여기에 경찰이 개입되지 않았다면, 멀쩡하던 칠성파 두목이 잡힐 이유가 없지요."

강 형사는 등줄기를 타고 땀이 흘러내리는 걸 느꼈다.

"자네 생각대로라면, 종로경찰서 간부급들이 크게 다치게 생겼군. 물론 나를 포함해서 말이야."

강 형사는 숨이 턱 막혔다. 사토는 진실의 경계선을 아슬아슬하게 줄타기하면서도 교묘하게 이야기의 중심에서 빠져나갔다. 어쩌면 김칠성의 증언으로도 부족한 일일지도 몰랐다. 더 많은 증인을 확보해야 했다. 물증만 잡히면, 사토도 저렇게 태연하지 못할 것이다. 동재. 채동재를 만나야 했다. 그 녀석이라면 영달의 일을 다 알고 있을 것이다. 알면서도 입을 열지 못하는 건 배두식의 후환이 두려운 탓이었다. 녀석이 용기를 내 준다면, 일이 풀리는 건 식은 죽 먹기였다. 그런 생각을 하자 조금은 기운이 나는 것 같았다.

"간부급 경찰들을 다치게 할 생각은 추호도 없습니다. 제 생각이 맞다면, 김 노인 살해범은 양영달이 아니라는 확신이 들어서였습니다. 그러니까 양영달은 배두식이 던진 미끼에 불과합니다."

"자네 참 집요하군그래. 한데……."

사토가 무슨 말인가 꺼내려다 말고 손가락으로 책상을 톡톡 두들겼다. 허공을 응시하며 잠시 생각하더니 차가운 얼굴로 말을 꺼냈다.

"자네…… 맞설 자신이 있는가?"

사토의 물음에 강 형사는 어금니를 질끈 깨물었다.

"맞설 자신이 없다면 입조심하게. 안 그러면 크게 다칠 거야."

"서장님, 그렇지만 이건 한 사람의 인생이 걸린 문제입니다!"

강 형사가 목소리를 높였다.

"이미 자백한 놈이야. 공판에 회부되어 형량을 기다리는 놈이라고!"

사토 역시도 양영달이 누군가의 미끼였다는 것쯤은 진작에 알고 있다는 투였다. 강 형사는 이를 악물고 사토의 눈을 똑바로 바라보았다.

"그만 나가 보게."

사토의 말에 강 형사가 경례를 하고 몇 발짝 걸어 나갈 때였다.

"아, 오늘 저녁에 시간 있나?"

강 형사가 뒤돌아 사토 서장을 바라보았다.

"괜찮으면 오랜만에 술이나 한잔했으면 해서 말이네. 나도 가끔은 마음이 편치 않다네. 이것저것 복잡한 일이 한두 가지가 아니야. 어떤가?"

강 형사는 대답 대신 눈인사를 건네고 방을 나왔다. 아마도 사토는 강 형사를 회유할 생각인 것 같았다. 강 형사의 예리한 지적에 제아무리 발뺌을 해도 오금이 저렸을 것이다. 강 형사 입장에서도 이건 기회였다. 술자리를 빌어서라도 사토를 설득할 생각이었다. 사토 서장이 눈감아 준다면, 배두식을 표적으로 두고 김칠성 체포 건을 다시 파헤칠 생각이었다. 강하게 밀어붙이면 뭔가 물증을 잡아낼 수 있을 것이다. 그러면 자연스럽게 김 노인 사건도 다시 수사할 수 있다. 배두식의 사주를 받았다 해도, 사토가 이 사건에서 빠지는 건 식은 죽 먹기였다. 사토는 조선총독부 경무총감과 관계가 긴밀했다. 그의 위력은 총독의 마음을 좌지우지할 정도였다.

"강 형사님, 조금 전에 어떤 청년한테서 전화가 왔습니다."

자리에 앉는데 신참 형사가 다가와 말을 걸었다.

"누구라고 하던가?"

"잠시 자리를 비웠다고 했더니 뚝 끊어 버리지 뭡니까요. 장난 전화 같지는 않았는데……."

"그래?"

동재가 전화를 했을지도 모른다는 생각이 퍼뜩 들었다. 마음이 통한 걸까. 녀석은 이제 그만 모든 걸 실토하고 싶었는지도 모른다. 그런데 채정란, 그녀는 정말 어디로 사라져 버린 걸까. 사건이 곧 해결될지도 모를 이 상황에서, 강 형사는 어쩐지 씁쓸한 기분이 들었다.

"퇴근하시게요?"

저녁 7시 무렵, 밖으로 나가는 강 형사를 보고 박 형사가 아는 체를 했다. 박 형사는 의아한 얼굴로 강 형사를 바라보았다. 웬일로 강 형사의 얼굴이 좀 들뜬 듯 보였기 때문이었다.

"서장님이랑 술 한잔하기로 했어."

강 형사가 목소리를 낮추며 말했다. 다른 형사들을 의식했기 때문이다.

"두 분이서 말입니까?"

"그래. 느닷없이 서장님이 오늘 저녁에 술을 한잔하자고 하시더군. 뭔가 할 말이 있으신 게지. 나도 이참에 담판을 지을 생각이야."

박 형사는 도통 무슨 말인지 알아들을 수가 없었다.

"참, 날 찾는 전화가 걸려 오거든 잘 좀 받아 두라고. 아무래도 채동재, 그 녀석인 것 같아. 자, 그럼 수고."

박 형사는 고개를 끄덕였다. 그러고는 여전히 의아한 얼굴로 강 형사의 뒷모습을 바라보았다.

사토는 정미옥에서 강 형사를 기다렸다. 화신백화점 뒷골목에 있는 정미옥은 경성 안에서 손꼽히는 요릿집이었다. 네 평 남짓한 방에는 이미 고급 요리가 차려져 있었다. 강 형사는 어리둥절한 얼굴로 사토 서장에게 인사를 건넸다.

"어서 오게."

사토는 환한 웃음을 지으며 강 형사를 맞이했다. 강 형사는 잘 차려진 음식에 여전히 어리둥절한 표정을 지었다.

"뭐 그리 황송해할 것까지는 없네. 오랜만에 몸보신이나 하자는 뜻이니까. 어쨌든 김 노인 사건을 파헤치고 다니느라 자네가 제일 고생하지 않았는가?"

강 형사는 물을 한 모금 마셨다. 어떤 표정을 지어야 할지 막막했기 때문이다.

사토가 음식을 들라고 권하면서 앞에 놓인 전병을 먹었다. 강 형사는 몇 젓가락 집어 먹는 시늉을 하다 연거푸 술을 들이켰다.

"자네, 술이 꽤 센 편이지? 천천히 많이 들게나. 이것 참, 함께 술 마셔 본 지도 꽤 오래되었네."

사토가 정종을 따라 주며 눈웃음을 지었다. 초승달처럼 부드러운 곡선을 그리는 눈 모양이 보기 좋았다. 정종을 서너 잔 마시자 강 형사는 얼굴이 발그스레해지면서 긴장이 풀렸다. 이윽고 마음에 담아 두었던 말을 꺼냈다.

"서장님, 이건 참말 말도 안 되는 수작입니다. 경찰이 한갓 건달 놈들 손에 놀아나서야 되겠습니까?"

"자네, 참말 맞설 준비가 돼 있는 겐가?"

의외로 사토는 선선히 인정했다. 갈비를 뜯다 말고 강 형사를 물끄러미 바라보았다. 강 형사는 정종을 다시 한 잔 마셨다. 긴장이 완전히 풀리면서 머리가 알딸딸했다. 술기운이 돌자 가슴이 뜨거워지면서 배짱이 두둑해졌다.

"자신 있습니다! 이 나라에서 경찰 노릇을 하는 건, 그래도 정의를 위해서였습니다. 한데 제국의 경찰이란 것들이 건달 놈들

손에 놀아나서는 안 되는 일이지요. 안 그렇습니까?"

"제국의 경찰이란 것들? 허허허…… 자네, 말 한번 시원하게 하는구만. 자네 같은 부하가 있어 얼마나 든든한지 모르네. 자, 우선 음식을 좀 들면서 이야기하게나."

사토 서장이 갈비를 건넸다. 그러나 강 형사는 앞에 놓인 술잔을 들고 들이켰다.

"게다가 그 녀석은 절대 범인이 아닙니다…… 김 노인을 죽인 범인은 따로 있어요. 채정란. 바로 그 여자입니다."

"또 그 소리……."

사토가 인상을 썼다. 그러나 사람 좋은 얼굴을 하며 강 형사의 술잔에 술을 따라 주었다.

"제게 조금만 더 시간을 주십시오. 그 여자를 꼭 잡아 오겠습니다. 이건 치정에 얽힌 살인 사건입니다. 채정란, 그 여자는 아주 영악하게도……."

강 형사는 머리를 제대로 가누지도 못할 지경이었다. 혀 꼬부라진 소리를 내며 같은 말을 몇 번씩이나 반복했다. 빈속에 마신 술이 너무 과한 탓이었다.

"자자, 그만 일어나게. 집으로 돌아가야지. 부인께서도 기다리실 것 아닌가."

강 형사는 빙긋 웃음을 흘렸다. 그러나 곧 슬픔으로 금방이라도 울음을 터뜨릴 것 같은 얼굴이 되었다. 아내의 몸은 좀처럼 회복되지 않았다. 동대문에 있는 부인병원에 입원했다는 소식을 듣고 한 번 찾아가 본 게 그만이었다. 아내가 자신을 만나고 싶지 않다는 의사를 전했기 때문이었다. 그날 집으로 돌아가는 길, 강 형사는 자기 자신을 수없이 질책했다. 종로경찰서 강력계 형사 강호철은 아내를 붙잡을 용기도 없는 비굴한 놈이었다.

정미옥을 나와서 강 형사와 사토 서장은 길을 걸어갔다. 일부러 말을 꺼내지 않아도 강 형사는 묘하게 마음이 편안했다. 술이란, 때로 이렇게 사람과의 벽을 어김없이 허물어뜨리는 거라고 생각했다.

"에이, 이거 오줌이 마려워서 원……."

강 형사가 바지춤을 부여잡고 몸을 휘청대며 골목길로 걸어갔다. 달빛도 별빛도 없는 어두운 밤이었다. 가로등도 없는 깜깜한 골목길 모퉁이에 멈춰 서서 강 형사는 바지 지퍼에 손을 갖다 댔다. 뒤에서 발소리가 들렸다. 사토 서장일 것이다.

"서장님도 소변 보시려……."

그때였다. 누군가 목을 조여 오는 통에 강 형사는 더 이상 말을 할 수가 없었다. 등 뒤에서 사람의 기척이 느껴졌고, 헝겊 줄이 목을 감싸며 바짝 조여들었다.

강 형사는 있는 힘을 다해 발버둥쳤다. 그러나 컥컥 숨넘어가는 소리만 낼 뿐 꼼짝할 수가 없었다. 작정하고 퍼붓듯 들이마신 술 때문이었다. 사토 서장이 연거푸 따라 준 술을 거절도 않고 내리 들이켰다. 그 사이에도 줄을 쥔 남자는 이를 악물며 온 힘을 다해 강 형사의 목을 조였다. 줄이 파고 들어간 살갗으로 피가 스며 나왔다. 강 형사는 튀어나올 듯 툭 불거진 눈으로 앞을 바라보았다. 조금 떨어진 곳에 서 있는 사람의 모습이 희미하게 보였다. 정신이 혼미한 가운데서도 그 사람이 누구인지 알아차렸다. 사토 서장이었다.

'당신이었군……'

그러나 그 말 역시 입 밖으로 새어 나오지 못했다. 그의 눈은 이제 완전히 돌아갔고 이내 사지가 축 늘어졌다.

이윽고 사토 서장이 남자 곁으로 다가왔다. 숨이 끊어진 걸 확인하고 나서 남자에게 몇 가지 지시를 내렸다. 남자가 강 형사를 들쳐 업고 사라지자, 사토는 골목길 담벼락에 대고 오래도록 오줌을 누었다.

"내가 말이야. 그놈의 주식이란 걸 다시는 하지 않으려 했는데…… 일이만 원 잃었을 때 그만뒀어야 했는데……. 주식이란 게 한번 빠지니 딴생각이 안 드는 거야. 운이 좋아 꽤 벌 때도 있 거든. 한데 십만 원을 잃은 게 다 뭐냐고! 돈독이 오른 아내한테 들켰어 봐. 집안이 풍비박산 났을 거야. 아내와 아들놈들을 진작 본국으로 보내 버렸어야 했는데……."

오줌을 누고 나서 사토는 강 형사가 쓰러져 있던 자리를 내려 다보았다.

"경찰이 되기에는 뭔가 부족했어……. 융통성, 자네한테는 바 로 그게 없다는 게 문제야……."

사토는 진저리 치며 바지 지퍼를 올렸다. 강 형사가 쓰러져 있 던 자리를 또다시 내려다보고 나서 발걸음을 돌려 골목길을 걸 어 나왔다. 밤바람이 제법 쌀쌀했다. 일본 남쪽 지방 출신인 사토 는 조선의 날씨에 좀처럼 익숙해지지 않았다. 그건 십 년이 지나 도 조선 사람들에게 정이 들지 않은 것과 마찬가지였다. 사토에 게 조선 사람들은 언제나 미개하고 어리석은 고집불통들이었다.

14

병원 영안실에 안치된 시신을 보고 박 형사는 크게 울음을 터뜨렸다. 강 형사가 창백한 얼굴로 침상에 누워 있었다. 질식의 고통이 얼마나 컸던지 혀를 쑥 내민 채 눈알이 튀어나올 듯 눈두덩이 불거졌다. 사체는 고개를 돌리고 싶을 정도로 사나운 모습이었다.

"자살이라고…… 했습니까?"

박 형사가 울먹이며 감식반 사람에게 물었다. 목이 메어 목소리가 갈라져 나왔다.

"종로통에 있는 여관에서 목을 맸다고 합니다. 여관 주인이 처음 발견하고 신고한 걸로 보고됐습니다."

박 형사는 도무지 믿기지 않았다. 강 형사가 자살을 했다니! 형수님 일로 마음이 상한 건 알고 있었지만, 죽음을 선택할 정도로 나약한 사람은 아니었다. 그런데 자살이라니! 박 형사는 그 사실이 믿기지 않아 두 눈으로 확인해야만 했다.

죽은 강 형사의 목에 줄을 맨 흔적이 역력했다. 목둘레로 둥그렇게 붉은 선이 그려졌다. 줄이 살갗을 파고들면서 생긴 상처였다.

박 형사는 다시금 감정이 복받쳐 올랐다. 눈물 어린 눈으로 강 형사의 몸을 훑어보는데, 누군가 문을 열고 들어왔다. 사토 서장이었다. 박 형사는 발개진 눈으로 사토 서장을 바라보며 목례를 했다. 사토 서장이 침울한 얼굴로 시신을 내려다보았다.

"안타까운 사람이야…… 타고난 경찰이었는데……."

사토는 눈시울을 붉히며 중얼거렸다. 박 형사의 어깨를 두들기며 말했다.

"자네가 많이 힘들겠구만……. 퍽 가까운 사이였는데 말이야."

위로의 말에 박 형사는 고개를 떨구며 흐느껴 울었다. 하루도 빼놓지 않고 얼굴을 마주하던 사람이었다. 경찰서에서 형이라고 부를 수 있는 사람은 강 형사, 단 한 명뿐이었다. 때문에 박 형사의 상실감은 이루 말할 수 없을 정도였다.

늦은 오후가 되어서야 박 형사는 경찰서로 돌아왔다. 김 노인 사건이 해결된 뒤 종로경찰서는 모처럼 휴식기와도 같은 시간을 보냈다. 박 형사는 책상 앞에 앉아 시간만 보냈다. 머릿속이 하얘 지면서 아무런 생각이 들지 않았다. 다만, 공허한 머릿속에서 자 꾸 강 형사의 얼굴이 아른거렸다.

휴……. 박 형사는 숨을 길게 내쉬었다. 아무래도 오늘은 좀 일 찍 퇴근해야 할 것 같았다. 웃옷을 집어 들고 자리에서 일어났다.

그때, 전화벨이 세차게 울렸다. 신참 이 형사가 전화를 받고는 난감한 얼굴로 통화를 했다.

"누구?"

박 형사는 이 형사 곁으로 다가가 입 모양으로 물었다. 이 형 사가 송수화기를 손으로 가리며 말했다.

"어떤 청년인데, 강 형사님을 만나고 싶대요."

박 형사의 얼굴에 당혹스러운 빛이 흘렀다. 박 형사는 긴장한 얼굴로 전화기를 넘겨받았다.

"여보세요. 강 형사님은 지금 출타 중이신데, 무슨 일로 그러 십니까?"

송수화기를 타고 침묵이 흘렀다. 조금 뒤 청년이 머뭇거리며 말을 꺼냈다.

"저, 그럼 언제쯤 돌아오십니까요? 꼭 드릴 말씀이 있어 그렇습니다요."

박 형사는 순간적으로 심장이 덜컥 내려앉았다. 귀에 익은 목소리였다. 감기에 걸린 듯 비음 섞인 이 목소리는 분명 채동재였다. 그날 저녁, 강 형사는 자신에게 걸려 오는 전화를 잘 받아 두라는 당부의 말을 남겼다. 채동재, 그 녀석이 다시 전화할지도 모른다면서. 그러면 그제 걸려 온 전화도 이 녀석인 게 틀림없었다. 무슨 일일까……. 박 형사는 긴장한 티를 내지 않으려고 애를 썼다.

"지방으로 출장을 가셨으니 좀 걸릴 듯합니다. 돌아오시면 전해 드릴 테니, 저한테 말씀하십시오."

또다시 동재는 침묵했다. 망설이고 있는 것이다. 박 형사는 행여 전화를 끊을까 봐 잔뜩 조바심이 났다.

"반드시 강 형사님한테만 전해 드리겠습니다. 그러니 안심하고 말씀하십시오."

송수화기를 타고 가쁘게 내쉬는 숨소리가 들려왔다. 녀석이 결심한 것이다. 무언가 이야기를 꺼내려는 참이었다.

"김정필 씨 살인 사건에 대해 말씀드리려고 합니다."

"네, 말씀하십시오."

박 형사는 수화기에 귀를 바짝 들이대며 다른 한 손으로 필기할 종이를 찾았다.

"김정필 씨를 죽인 사람은 양영달이 아닙니다. 저도 살인범이 누군지는 모릅니다. 허나 양영달이 어떤 음모에 걸려들어 거짓으로 자백한 것만은 틀림없습니다."

"실례지만 어떤 음모인지 자세히 말씀해 주시겠습니까?"

녀석은 또 말을 하지 않았다. 거칠게 숨을 내쉬는 소리가 송수화기를 타고 들려왔다. 겁에 질린 녀석의 모습이 눈에 선했다.

"그, 그건……."

망설인 끝에 동재가 입을 열었다.

"양영달은 종로통 건달패 배두식의 사주를 받았습니다. 배두식이 김금만을 빼내려고 한 짓입니다."

박 형사는 몸이 바짝 달았다. 이건 정말 대단한 정보였다. 이렇게 전화로 이야기하고 넘어갈 일이 아니었다.

"그런 정보라면, 이렇게 전화로 통화할 게 아니라 만나서 이야기하지요?"

그러나 그 순간 동재는 전화를 뚝 끊어 버렸다.

"여보세요? 여보세요?"

박 형사는 송수화기를 소리 나게 내려놓았다. 머릿속으로 피가 솟구치는 기분이 들었다. 그러나 곧 허탈해서 한숨을 푹 내쉬었다.

경찰서 건물을 나설 때였다. 출입문 앞 계단 가에 서서 사토가 담배를 피우는 모습이 보였다.

"아직 퇴근 안 하셨습니까?"

박 형사가 다가가 말을 건넸다. 사토는 담배를 비벼 끄고 나서 박 형사를 빤히 바라보았다. 어쩐지 좀 조바심이 난 얼굴이었다.

"곧 나갈 참이었네. 한데 자네한테 한 가지 물어볼 게 있어."

무슨 말을 하려는 걸까. 사토는 그답지 않게 뜸을 들였다.

"그날 저녁 말일세, 혹 강 형사가 자네한테 남긴 말은 없었나?"

박 형사는 잘 생각이 나지 않아 머뭇거렸다.

"글쎄요……. 특별히 한 말은 없었던 것 같은데요……."

이번에는 박 형사가 사토를 빤히 바라보았다. 그날 저녁이라면, 사토 서장이 더 잘 알고 있지 않을까. 박 형사는 사토 서장과 함께 술을 마시러 간다던 강 형사의 말이 떠올랐다. 들뜬 얼굴로 사토 서장과 담판을 지어야겠다고도 했다. 그걸 말해야 할까? 잠시 망설이는데, 사토 서장이 허공을 바라보며 길게 숨을 내쉬었다.

"강 형사가 그런 짓을 저질렀다는 게 오래도록 마음에 걸릴 듯

하네. 부하 직원을 챙기지 못해서 말일세. 난 그날 저녁 경무국 사람들하고 술자리를 하고 있었네. 모처럼 기분 좋게 술을 마시고 있었는데……."

그 순간, 박 형사는 등줄기로 한기가 훅 끼쳐 드는 기분이었다. 그날 저녁이라면 사토는 강 형사와 함께 술을 마셨어야 했다. 경무국 사람이 아닌 바로 죽은 강 형사와 함께. 그런데 왜 굳이 거짓말을 하는 걸까. 박 형사는 떨리는 마음을 감추려고 아랫입술을 살짝 깨물었다.

'그날 저녁, 당신은 강 형사와 함께 술을 마시지 않았습니까?'

목구멍까지 치밀고 올라오는 소리를 가까스로 집어삼켰다. 그렇게 물어서는 안 된다는 걸 직감적으로 깨달았기 때문이었다.

"그럼, 내일 보세."

사토는 인사를 건네고 경찰서 마당으로 걸어갔다. 박 형사는 사토의 뒷모습을 멍하니 바라보았다. 실체를 알 수 없는 검은 그림자가 일시에 온몸을 덮치는 것만 같았다. 사토의 모습이 사라질 무렵, 박 형사는 비로소 자신이 공포에 떨고 있다는 사실을 깨달았다.

15

밤 9시가 넘어 박 형사는 다시 종로경찰서로 들어왔다. 걸어
오는 내내 머릿속에는 온통 강 형사 생각뿐이었다. 감식반에서
자살이라고 보고했으나 강 형사의 죽음은 자살이 아닐지도 몰랐
다. 자살이 아니라면, 자살로 위장된 타살이라면, 범인은 사토 서
장일 가능성이 컸다. 그렇지 않다면 그가 굳이 그날 저녁 일을
감출 이유가 없었다.

'대체 사토 서장이 왜?'

박 형사는 동재가 전해 준 이야기를 퍼뜩 떠올렸다. 배두식은
김금만을 빼내려고 양영달을 사주해서 감옥에 처넣었다. 그러고
나서 며칠 뒤 배두식의 적수인 칠성파 두목이 기소되었다. 그래,

이건 동재의 말대로 음모였다. 배두식이 사토와 감쪽같이 거래를 했는지도 모른다. 김 노인 살해범을 줄 테니, 대신에 금만이를 풀어 주고 칠성파를 족쳐 달라. 그게 배두식의 조건이었을 것이다. 사토 서장이 그의 제안을 거절할 이유는 없었다. 사토 서장은 지나칠 정도로 김 노인 사건이 빨리 해결되길 바랐다. 그리고, 이 모든 걸 강 형사는 알고 있었다. 경찰서로 찾아와 자백하는 영달의 목을 조르며 사주한 자의 이름을 대라고 외쳤으니까. 그 일로 강 형사는 사토와 언쟁이 붙었다. 그렇지만 그게 사토가 강 형사를 죽이기까지 해야 할 이유는 아니었다.

'그럼, 도대체 무슨 일로?'

박 형사는 다시금 자신에게 물었다. 그렇지만 역시 배두식과 사토의 거래 건은 아니었다. 실적을 올리려고 저지르는 그 정도의 비리야 조선 경찰에 널브러진 일이었다. 문득 김 노인 사건을 미친 듯이 파헤치고 다니던 강 형사의 모습이 떠올랐다. 양영달이 기소된 중에도 강 형사는 미련을 버리지 못했다. 그렇다면 따로 생각해 둔 범인이 있다는 걸까. 그 순간이었다. 번개와도 같은 생각이 뇌리를 스치고 지나갔다. 어쩌면 강 형사는 김 노인 살해범을 알고 있었는지도 모른다. 그리고 그 사실이 밝혀지는 걸 사토가 꺼렸는지도 모른다. 때마침 배두식이 제안한 거래는 사토에게 좋은 기회였다. 그러나 운 좋게 묻힐 수 있는 살인 사건을 강 형사는 파헤치려고 기를 썼다. 사토가 강 형사를 죽일 수밖에 없는 이유는 바로 그것이었다.

"박 형사님, 아직 퇴근 안 하셨어요?"

복도를 걸어가는데 후배 형사가 인사를 건넸다. 야근을 하는 중인지 얼굴에 권태가 묻어났다.

"으응. 뭘 좀 조사할 게 있어서……."

박 형사는 얼버무리며 재빨리 걸음을 옮겼다.

2층 서류 보관실에도 경찰이 한 명 있었다. 졸다가 깼는지 부스스한 얼굴로 자리에서 일어나 목례를 했다.

"서류를 찾을 게 있어 그러는데, 잠시 실례해도 될까?"

스무 살쯤 먹어 보이는 경찰이 고개를 끄덕였다.

"참, 강 형사님 사체 사진이 어디쯤 있는지 알고 있나?"

서류가 들어 있는 철제 서랍장 쪽으로 걸어가다 말고 박 형사가 이제야 생각났다는 듯 말했다. 경찰은 눈을 끔벅이더니 왼쪽에 있는 철제 서랍장 쪽으로 걸어갔다.

"여기 있습니다."

조금 뒤에 누런 봉투를 박 형사에게 내밀었다. 박 형사는 선 채로 사진을 꺼내 보았다. 사진 수십 장을 훑어보다 한 장의 사진에 눈을 고정시켰다. 목 부분을 찍은 사진이었다. 줄이 살갗을 파고 들어간 목둘레로 둥그렇게 붉은 선이 그려졌다.

"아!"

박 형사는 소리를 질렀다. 뒤에 앉아 있던 경찰이 고개 돌려 박 형사를 쳐다보았다. 박 형사는 그를 의식하며 입을 다물고 사진을 다시 들여다봤다.

비로소 사진을 든 손이 심하게 떨렸다. 너무 황망한 나머지 목에 난 상처를 잘못 판단하고 말았다. 이건, 자살의 흔적이 아니었다. 자살한 경우라면 이런 식의 상흔이 남지 않는다. 스스로 목을 매 자살한 경우, 상흔은 보통 목 앞부분에 깊게 나타나면서 점차로 옅어진다. 줄이 목 앞부분을 중심으로 세게 잡아당겨졌기 때문이다. 틀림없이 이건 누군가 줄로 목을 조른 거였다. 사체는 목 앞부분과 목덜미 부분이 동일하게 함몰되어 있었다. 수평으로 둥글게 난 상처는 누군가 뒤에서 목을 졸랐다는 증거였다. 그러니까 이건 자살이 아니라 타인에 의한 교살이었다.

박 형사는 다리가 후들거렸다. 강 형사의 죽음이 자살이 아니라는 사실이 점점 진실로 드러났다. 떨리는 손으로 서랍장을 열어 서류를 찾기 시작했다. 김 노인 사건을 정리한 서류를 보기 위해서였다. 철제 서랍장 안에는 근 몇 년간의 서류가 들어 있었다.

"김 순사, 최근 사건 기록이 들어 있는 서류철이 어디쯤 있는지 알고 있나?"

어린 순사가 자리에서 일어나 박 형사 곁으로 걸어왔다.

"최근이라면 어느 정도 최근을 말씀하십니까?"

"뭐, 올해 일어난 사건 기록이면 될 듯한데……."

"하면 이쪽으로 오십시오."

박 형사는 그가 가리키는 서랍장 앞으로 다가섰다. 그러고는 서랍 안에 들어 있는 수백 장의 서류를 몽땅 꺼내 읽기 시작했다. 한 시간쯤 서류를 살펴보았으나 김 노인 살인 사건과 연결 지을 만한 새로운 기록은 없었다. 박 형사가 익히 잘 알고 있는 보고서들뿐이었다.

'아니야, 분명히 뭔가 있어. 저건 살해 흔적이야! 절대 자살한 게 아니라고!'

박 형사는 사토 서장의 얼굴을 떠올리며 주먹을 부르르 떨었다. 사토 서장은 영안실에 나타나 침울한 얼굴로 강 형사의 사체를 내려다보았다. 조금 지나서는 눈가를 훔치며 박 형사에게 위로의 말을 건네기까지 했다. 박 형사는 분노로 얼굴이 시뻘게졌다.

'그렇다면 서장실에?'

머릿속으로 서장실이 떠올랐다. 사토 서장실에는 개인 철제 서랍장이 있었다. 어쩌면 사토는 그곳에 기밀 서류들을 보관해 뒀을지도 몰랐다.

박 형사는 계단을 내려와 1층 서장실로 걸어갔다. 불빛이 어둑한 복도를 걸어가는데, 관자놀이를 타고 땀이 흘러내렸다. 마치 누군가 자기를 뚫어지게 지켜보는 것 같았다. 자칫 잘못하다가 자기도 죽임을 당할지도 모른다는 생각이 들었다. 그런 생각이 들자 등골이 오싹해졌다.

1층 사무실에는 형사 서너 명이 앉아 야근을 하는 중이었다. 특별한 사건이 없으니 모여 앉아 잡담을 나누는 것 같았다.

"박 형사님, 이 시간에 웬일이십니까?"

잡담을 나누다 말고 최 형사가 아는 체를 했다. 형사가 된 지 일 년 남짓 된 사람이었다. 별일이 없는 한 야근은 주로 신참들이 했다.

"서장실에 볼일이 있어 다시 들어왔네. 나 참, 모처럼 서장님이 사 주는 술을 한잔하고 있는데, 갑자기 서류를 가져오라고 심부름을 시키지 뭔가!"

박 형사는 얼굴까지 찌푸리며 거짓말을 늘어놓았다. 다시 잡담을 나누는 형사들을 곁눈질하며 서장실로 들어갔다. 불을 켠 뒤 철제 서랍장 앞으로 걸어갔다. 그러나 서랍장은 잠겨 있었다.

박 형사는 온몸에서 힘이 쏙 빠져나가는 것만 같았다. 저 멀리 앉아 있는 형사들을 곁눈질하며 버럭 소리를 질렀다.

"이런, 망할! 열쇠도 없이 어떻게 서류를 꺼내 오라는 거야!"

밖에서 그 소리를 듣고 최 형사가 달려왔다.

"무슨 일이십니까?"

"서장님 말이야, 열쇠 주는 걸 깜박했나 봐. 허탕 치면 되레 쓴소리를 할 텐데 이를 어쩌지……."

최 형사가 말했다.

"아, 그거야 경비원한테 말해 보십시오. 왜 그 늙수그레한 김가 말입니다. 그자가 예전에 열쇠 수리공이었다는데, 손재주가 좋아 웬만한 건 척척 해결하는 것 같더라구요. 도둑질을 해 먹어도 될 정도로 말입니다. 헤헤……."

"그래? 허면 누가 김가를 좀 불러오지 그래?"

잠시 후 경비원 김가가 철사를 들고 서장실로 들어왔다. 김가는 기름때가 잔뜩 묻은 손으로 잠시 철제 서랍 열쇠 구멍을 매만졌다. 그 모습이 꼭 맥을 짚어 몸 상태를 진단하는 한의사의 몸짓 같았다. 이윽고 들고 있던 철사를 서랍 열쇠 구멍으로 끼워 넣었다. 조금 있자 툭 하고 잠금장치가 열리는 소리가 났다.

"문이 열린 것 같습니다요."

김가가 고개를 조아리며 밖으로 걸어 나갔다. 박 형사는 바깥 사무실을 휘둘러보았다. 형사들은 다시금 둘러앉아 잡담을 나누었다. 재미난 이야기라도 하는지 이따금 자지러지게 웃어 젖혔다.

박 형사는 크게 숨을 내쉬고 난 뒤 철제 서랍장을 열었다. 생각보다 서류가 많이 들어 있었다. 손바닥에 밴 땀을 바지춤에 문지르고 나서 서류를 모두 꺼내 읽기 시작했다. 밖에서 이따금씩 커다란 웃음소리가 터져 나왔다. 그때마다 박 형사는 머리카락이 쭈뼛 서는 것 같았다.

이십여 분이 지난 뒤, 마침내 놀랄 만한 서류를 발견했다. 박 형사는 떨리는 가슴을 누르며 보고서를 읽기 시작했다.

김정필, 박남철, 김금남, 안도형, 박순정.

위 다섯 사람은 일명 수요회 간부로 드러남.

수요회는 조선 독립운동 자금을 마련하기 위한 비밀 결사 단체로 1932년부터 활동한 것으로 드러남.

조직원은 대략 이십여 명으로 추정됨.

조직원 발견 시 1. 생포함 2. 필요시 총기 사용함 3. 필요시 사살

1938년 8월 3일

김정필은 죽은 김 노인의 이름이었다. 구두쇠로 악명 높은 김 노인이 독립운동 자금을 마련하기 위한 비밀 단체 간부였다니! 너무나 뜻밖의 이야기에 정신을 차릴 수가 없었다. 확실한 건 김 노인을 죽인 사람이 바로 사토 서장이라는 사실이었다. 강 형사를 살해한 것처럼 김 노인 또한 그에게 당했을 터였다. 그런데 사토는 왜 김 노인을 체포하지 않고 살해했을까? 아무리 생각해도 그 점이 의아했다. 독립운동을 했으니 체포할 뚜렷한 명분이 있었다. 그런데도 사토는 비밀리에 김 노인을 살해했다. 그것도 길거리에서 일어난 우발적인 범죄로 위장하면서. 그 순간, 박 형사의 머릿속으로 섬광과도 같은 빛이 빠르게 스치고 지나갔다.

'뭔가 드러내고 싶지 않은 비밀이 있어! 반드시 죽여야만 하는 이유가 있었을 거라고!'

박 형사는 서둘러 서류 뭉치를 서랍장 안에 집어 넣었다. 서랍장 문을 닫을 때, 얇은 종이 몇 장이 문틈에 걸려 잘 닫히지 않았다. 박 형사는 문틈에 낀 종이 몇 장을 반듯이 편 다음 다시 문을 닫았다. 사토의 지문이 찍힌 조선취인소 전표를, 박 형사는 알아채지 못한 채 서장실을 나왔다.

이튿날, 눈을 뜨자마자 박 형사는 다옥정으로 향했다. 김 노인의 집으로 가서 뭔가 단서를 찾아낼 생각이었다.

"범인이 잡힌 거 아니었나요?"

지난번에 만났던 아낙이 눈을 동그랗게 뜨며 물었다. 가슴이 철렁 내려앉았는지 얼굴빛이 어두워졌다.

"죄송합니다. 좀 미심쩍은 게 있어 어르신의 유품을 다시 조사하러 나왔습니다."

박 형사가 고개를 조아렸다. 아낙은 긴장한 얼굴을 풀고 뜻밖의 소리를 꺼냈다.

"안 그래도 강 형사님께서 유품을 보관해 두라 해서 태우지 않고 보관하고 있습니다. 안방으로 들어가시겠습니까?"

박 형사는 고개 숙여 인사하고 난 뒤 김 노인이 지내던 안방으로 들어갔다. 아낙은 반닫이를 열어 물건이 든 보따리를 꺼냈다.

"아버님의 옷가지들은 대부분 태워 버렸답니다. 그게 관례인지라 어머님께서 그리 하길 원하셨어요."

"네, 괜찮습니다. 하면 제가 이걸 좀 살펴보겠습니다."

아낙이 나간 뒤 박 형사는 보따리를 풀어 안에 있는 물건들을 샅샅이 살폈다. 삼베 저고리와 바지 두어 벌, 침낭, 낡은 중절모자와 구두, 곰방대, 방세를 받으러 나갈 때 사용하던 장부가 몇 권 있었다.

당장 버려도 아깝지 않을 물건이 대부분이었다. 뭔가 기대했으나 허탕을 칠 것 같은 기분이 들었다. 박 형사는 맥 빠진 얼굴로 방바닥에 털썩 주저앉았다.

그때, 방문을 두들기며 아낙이 들어왔다.

"물이라도 한잔 드시고 살펴셔요."

아낙은 단정하게 쟁반에 받친 물잔을 내려놓았다.

"혹시, 이것 말고 다른 건 없습니까? 어떤 것이라도 좋으니 좀 더 조사했으면 합니다."

박 형사는 애가 탔다. 단서를 찾지 못하면 사건은 이대로 묻히고 말 것이다. 그러기에는 김 노인과 강 형사의 죽음이 너무나 안타까웠다. 처절하게 죽은 그들의 마지막 모습이 박 형사의 눈 앞에서 아른거렸다.

아낙이 풀이 죽은 박 형사를 미안한 얼굴로 바라보았다. 그러다 뭔가 생각난 듯 입을 열었다.

"잠시만 기다려 주십시오. 건넌방에 아버님이 쓰시던 물건이 하나 있으니 이리로 가지고 오겠습니다."

아낙은 다소곳이 일어나 건넌방으로 걸어갔다. 그러고는 조금 뒤 끈으로 묶인 두툼한 종이봉투 뭉치를 가지고 들어왔다.

"이건 아버님께서 광산업을 하실 때 사용하던 장부가 들어 있는 봉투랍니다. 우리 집 바깥양반이 나중에 광산업을 하게 되면 참고하겠다며 일부러 남겨 두었지요. 장롱 서랍에 넣어 둔 게 이 제야 생각났답니다."

박 형사는 여전히 맥 빠진 얼굴로 봉투를 받아 들었다. 아낙이 문을 닫고 나가자, 저절로 긴 한숨이 새어 나왔다. 감긴 끈을 풀고 안에 든 장부를 꺼냈다. 빛바랜 장부 아래쪽은 물에 젖어 얼룩이 져 있었다. 오래 묵은 종이 특유의 케케묵은 냄새가 났다.

박 형사는 비닐로 겉을 감싼 장부를 열어 보았다. 김 노인의 것이 분명한 글씨가 시원스레 쓰여 있었다. 몇 장을 살펴보다 장부를 탁 소리 나게 덮었다. 그런데 장부 뒤쪽이 불룩하게 만져지는 게 뭔가 들어 있는 것 같았다. 장부 뒷면을 열어 보니 비닐 덮개 안에는 뜻밖에도 얇은 수첩이 끼워져 있었다.

무심코 작은 수첩을 펼칠 때였다. 박 형사의 눈이 휘둥그레졌다. 수첩 첫 장에 단 두 줄의 글이 적혀 있었다.

1936년 11월 5일.
종로경찰서 서장 사토 구로키에게 십만 원 지출.

그러니까 재작년 이맘때쯤 김정필이 사토 서장에게 십만 원을 보낸 기록이었다.

　그제야 박 형사는 모든 걸 알아차렸다. 사토는 김 노인이 독립 운동 자금줄이라는 걸 진작에 알았다. 동시에 김 노인에게 상당한 재산이 있다는 사실도 알았다. 금광을 캐서 갑부가 된 김 노인에 대한 소식은 그 당시 일간지에 기사화될 만큼 널리 알려졌다. 때문에 사토는 김 노인을 협박했을 것이다. 네가 한 짓을 눈감아 줄 테니 돈을 달라. 그를 협박하며 큰돈을 요구했을 것이다. 그런데 이미 돈을 건네받은 사토는 올 8월부터는 노심초사했을 것이다. 감쪽같이 자기만 파악하고 있던 수요회 조직을 상부에서도 알아챘기 때문이다. 사토는 돈을 착복한 일이 두려웠을 터였다. 아니, 그보다는 그 대가로 독립운동 조직을 눈감아 줬다는 사실이 드러날까 봐 몹시 두려웠을 것이다.

　물론 강 형사가 거기까지 파헤치고 들어간 건 아니었다. 김 노인의 정체와 수첩을 발견한 건 박 형사 자신이니까. 하지만 사토는 김 노인 사건을 집요하게 파헤치는 강 형사한테서 위협을 느낀 나머지 그를 죽이고 말았다. 언젠가는 이 모든 게 밝혀질지도 모른다는 사실에 겁을 먹은 탓이었다.

　생각이 거기에 미치자 박 형사는 심장이 튀어나올 듯 세차게 요동쳤다. 물을 한 모금 마시고 난 뒤 서둘러 밖으로 나왔다.

"이거 폐를 끼쳐 죄송합니다."

박 형사는 아낙에게 인사를 건넸다. 아낙이 근심 어린 얼굴로 박 형사를 바라보았다.

"뭘 좀 찾으셨나요?"

"네, 확실한 성과를 얻었습니다. 아주머니, 참말 감사합니다."

박 형사는 다시금 인사를 건네고 나서 밖으로 나왔다. 11월, 초겨울 바람이 제법 쌀쌀했다. 박 형사는 찬바람을 한껏 맞으며 마음을 가다듬었다. 이제부터는 정말로 정신을 차려야 한다고.

덕수궁 대한문을 돌아 얼마쯤 걷자 왼편으로 경성법원 건물이 나왔다. 깊은 동굴과도 같은 출입구가 정면에 우뚝 서 있었다. 웅장한 건물을 한참 올려다보는데, 불현듯 현기증이 났다. 마치 광막한 바다 위에 홀로 떠 있는 것처럼 아찔한 기분이 들었다. 서서히 밀려드는 공포에 가슴이 떨려 왔다. 경찰 옷을 벗는 것으로 끝날 문제가 아니었다. 이건 분명히 목숨이 걸린 사건이었다. 많은 생각의 조각들이 뇌리를 스치고 지나갔다. 그러나 그 모든 번민의 순간에도 죽은 강 형사의 모습을 떨쳐 낼 수 없었다.

오늘 하루, 어쩌면 몹시 바빠질지도 모를 일이었다. 박 형사는 어금니를 질끈 깨물었다. 숨을 크게 내쉬고 난 뒤 마침내 건물 출입구를 향해 걸어갔다.

16

"채동재!"

집 앞 골목길 모퉁이를 돌자 누군가 동재를 불렀다. 동재는 몸을 움찔하며 앞을 바라보았다. 종로경찰서 박 형사였다.

'아니, 저 작자가 왜?'

동재는 심장이 덜컥 내려앉는 기분이 들었다. 익명으로 정보를 흘린 주인공이 벌써 드러난 건지도 몰랐다. 그렇다면 배두식한테 잡히는 건 순식간이었다. 슬그머니 주위를 살피며 도망칠 궁리를 했다.

박 형사는 벌써 세 시간째 동재를 기다렸다. 하루 종일 뛰어다니느라 녹초가 될 지경이었으나, 녀석에게 꼭 확인할 일이 있어

서였다. 생전에 강 형사는 동재의 누나한테 집착했다. 어쩌면 채
정란의 실종은 김 노인과 관련된 일일지도 몰랐다. 그렇다면 채
정란은 지금 대단히 위험한 상황에 처해 있을 것이다. 그녀는 어
디에 있을까. 박 형사가 동재를 기다린 건, 마지막으로 그걸 확인
하기 위해서였다.

동재는 박 형사를 뚫어지게 바라보았다. 침침한 가로등 불빛
아래 서 있는 박 형사의 모습은 몹시 초췌했다. 지난번에 보았던
말쑥한 차림은 이제 온데간데없었다. 무언가 이야기를 담은 두
눈이 가로등 불빛을 받아 번들거릴 뿐이었다. 어딘지 불안해 보
이는 눈빛이었다.

"잠깐 이야기 좀 할까?"

박 형사가 한 발짝 다가설 때였다. 동재는 재빨리 몸을 돌려
골목길을 달리기 시작했다.

"거기 서!"

박 형사가 외치며 동재 뒤를 쫓았다. 동재는 있는 힘을 다해
구불구불한 골목길을 내달렸다. 달리는 내내 화가 나서 죽을 맛
이었다.

"아이고, 돈이고 나발이고 제발 맘 편하게 살아 보자고요!"

박 형사를 향해서라기보다는 자기 자신을 향해 마구 소리를

질렀다. 어두운 밤 길목에서 두 남자의 뜀박질 소리가 요란하게 울려 퍼졌다. 삼십 분이 넘도록 쫓고 쫓기다 동재는 청계천 가에 있는 식당 쓰레기통 옆에 몸을 숨겼다. 시큼한 음식물 쓰레기 냄새가 코를 찔렀다. 조금 지나자 골목길을 가로질러 박 형사가 달려가는 모습이 보였다.

동재는 머릿속이 복잡했다. 한밤중에 나타난 박 형사의 목적을 알 수가 없었다. 어쩌면 이번에도 배두식 패거리와 관련된 일일지도 몰랐다. 배두식이 벌써 눈치채고 박 형사를 구워삶았는지도. 휴……. 동재는 땅이 꺼지도록 긴 한숨을 내쉬었다. 어쩌다가 일이 이 지경이 되었을까. 생각해 보니 모두 일확천금을 꿈꾸던 헛된 망상 때문이었다. 돈을 빌려 주식 도박판에 꼬라박은 게 결국 꼬리에 꼬리를 물고 일이 커져 버리고 말았다.

"젠장!"

동재는 중얼거리며 자리에서 일어났다. 한 시간 넘게 쪼그리고 앉아 있던 터라 관절 마디가 뚝뚝 부러지는 소리가 났다.

집으로 들어가기는 어차피 틀린 일이었다. 언제 또 박 형사가 들이닥칠지 모르는 일이었다. 배두식 패거리가 잠잠하더니 이번에는 종로경찰서 형사였다. 악귀 같은 작자들이 양쪽에서 달려드니 옴짝달싹할 수가 없었다.

동재는 주위를 두리번거리며 청계천 가로 걸어갔다. 광통교를 지나 관철정 쪽으로 접어들자, 기와집들이 늘어선 골목길이 나왔다. 밤 10시가 다 된 시간, 골목길은 적막하기 그지없었다. 작은 상점들이 하나둘 문을 닫고 있었고, 거리에는 이미 인적이 끊겼다.

'어디로 갈까?'

집을 두고도 들어갈 수 없는 제 처지가 처량했다. 오늘은 경성역으로 가서 기차 편을 알아보았다. 혹시 막벌이꾼이라도 할 수 있는 자리가 있으면 어디든 떠날 생각이었다. 젠장, 막벌이꾼이라니. 모양 안 나는 일이었으나 사실은 그것도 아쉬운 형편이었다. 김 노인의 말이 맞았다. 먹고살아야 하니까 무엇이든 일을 해야만 했다.

골목길을 돌아 나와 큰길을 향해 걸어갈 때에는 바람이 쌀쌀하게 불었다. 옷을 스치는 바람 소리에도 동재는 신경 줄이 팽팽하게 조여들었다.

전차를 타고 다시 명치정으로 나갈 생각이었다. 발걸음을 재촉하며 걸어가는데, 뒤에서 어떤 기척이 느껴졌다.

'어휴, 이번엔 또 뭐야!'

동재는 잔뜩 긴장한 얼굴로 주위를 살폈다. 고양이 한 마리가 등을 구부리며 담벼락 위를 걸어갔다. 지나다니는 사람 하나 없는 거리에는 적막만이 흘렀다. 수명을 다한 가로등 불빛이 일정한 간격을 두고 깜박거릴 뿐이었다. 그러나 틀림없이 누군가 뒤를 쫓고 있었다. 벌써 몇 번이나 쫓기었던 터라 본능적으로 자신을 따르는 그림자를 느꼈다.

'미치겠군!'

동재는 구둣발로 땅바닥을 세게 걷어찼다. 그렇지만 다른 방법이 없었다. 이럴 땐 그저 사람들이 붐비는 곳으로 재빨리 스며드는 것밖에는.

그런데 어쩐 일인지 이번에는 예감이 좋지 않았다. 동재는 한순간, 검은 그림자한테 덜컥 덜미를 잡힐 것 같은 기분에 사로잡혔다. 그런 생각이 들자 심장이 오그라드는 것 같았다.

저만치 떨어진 곳에 종로통 네거리 전차 정류장이 내다보였다. 숨을 크게 내쉬고 난 뒤 발걸음을 재촉했다. 사람들로 붐비는 전차 정류장 앞에서도 마음이 놓이지 않았다. 비로소 고개를 돌려 사람들을 살폈다. 남대문행 전차를 기다리는 사람들이 발을 동동 구르며 도로에서 북적댔다. 십 분쯤 지나자 땡땡 소리를 내며 전차가 달려왔다. 도로에 서 있던 사람들이 우르르 전차 앞으로 다가설 무렵이었다. 어쩐지 뒤통수를 잡아당기는 것 같은 기운에 이끌려 얼른 뒤를 돌아보았다.

모자를 쓴 여자가 서 있었다. 여자는 사람들 무리에서 한 보쯤 떨어진 곳에 서서 동재를 응시했다. 설마 저 여자가! 동재는 곧 사람들 물살에 이리저리 쏠리면서 전차에 올라탔다. 그 와중에도 고개를 돌려 필사적으로 여자를 찾았다. 여자 또한 긴 목을 빼고 사방을 두리번거렸다. 챙이 넓은 모자 때문에 얼굴은 거의 보이지 않았다. 그러나 여자는 분명히 누군가를 찾았고, 그 누군가는 자신일 거라고, 동재는 확신했다.

황금정을 지나 명치정에 이르자 전차 안이 한산했다. 동재는 여자가 서 있는 곳을 힐긋 보았다. 여자는 차장 자리 쪽 구석진 곳에 서서 밖을 내다보고 있었다. 아무래도 모자는 얼굴을 가리기 위한 소도구인 듯싶었다. 몇 번씩이나 살펴봐도 여자의 표정을 읽어 낼 수가 없었다. 동재는 문득 불쾌한 기분이 들어 눈살을 찌푸렸다. 저 여자 때문에 내려야 할 곳을 진작에 지나친 탓이었다. 젠장! 욕설이 튀어나오려는 걸 가까스로 참아 내며 동재는 어깨를 오그린 채 여전히 여자를 곁눈질했다.

전차가 몸체를 틀며 남대문 옆을 지나갈 때였다. 동재와 중년 남자를 사이에 두고 서 있던 여자가 미끄러지듯 몇 발짝 움직였다. 그러고는 놀랍게도 동재 곁으로 바짝 다가와 말을 걸었다.

"부탁할 게 있어."

여자는 뜻밖에도 낮은 목소리로 부드럽게 속삭였다. 동재는 휘둥그레진 눈으로 모자에 가린 여자의 얼굴을 뚫어지게 보았다. 망치로 머리를 한 대 얻어맞은 것처럼 어안이 벙벙했다. 목소리의 주인을 알고 있었다. 목소리의 주인은…… 그러니까 여자는…… 하마터면 동재는 전차 안에서 소리를 지를 뻔했다. 여자가 가늘고 기다란 손가락을 입술에 갖다 대지 않았다면, 아마 그러고도 남았을 것이다. 모자 때문에 얼굴이 보이지 않았으나 여자는 틀림없이 눈을 동그랗게 뜨고 나무라는 표정을 짓고 있을 것이다. 동재는 저절로 몸이 움츠러들었다. 여자가 그런 표정을 지을 때면, 언제나 잘못을 저지른 어린아이마냥 몸이 움츠러들었다.

경성역에서 내린 여자는 불빛 환한 거리를 얼마쯤 걷다 좁은 골목길로 들어섰다. 동재도 말없이 여자의 뒤를 따라 걸었다. 여자는 이따금 멈춰 선 채 뒤돌아 동재를 바라보았다. 그럴 때마다 동재도 멈춰 서서 여자를 보았다. 여자는 무릎을 덮는 감색 외투를 입었다. 굽이 높은 구두를 신은 탓인지 안 그래도 큰 키가 더욱 껑충했다. 야윈 몸은 그사이 더 말라 외투 아래로 드러난 종아리가 애처로울 정도로 가늘었다.

여자는 이제 뒤돌아보는 것도 없이 걸어갔다. 발놀림이 어찌나 빠른지 동재는 얼마 걷지도 못하고 숨을 헉헉댔다.

어두운 골목길을 한참 걸은 뒤 여자는 건물 앞에서 멈춰 섰다. 일본식으로 지어진 2층 상가였다. 동재는 여자 뒤로 건물 중간쯤에 내걸린 간판을 올려다보았다. 평화여관. 어리둥절한 동재의 얼굴을 바라보면서 여자는 천천히 모자를 벗었다. 동재를 향해 환하게 웃으며 가까이 다가오라고 손짓했다.

그러나 동재는 붙박인 듯 서서 여자의 얼굴을 뚫어지게 바라볼 뿐이었다. 조도가 낮은 간판 불빛 탓일까. 얼굴에 드리워진 그늘이 여자를 나이 들어 보이게 했다. 미간 사이에 잡힌 주름은 각인처럼 고뇌의 흔적을 남겼다. 그러나 여자의 눈을 마주 보는 순간, 동재는 차츰 마음이 편안해졌다. 영롱하게 빛나는 눈빛만은 여전해서 초췌한 여자의 얼굴에서 생기를 느끼게 했기 때문이다.

그동안 여자에게 커다란 변화가 있었던 게 분명했다. 그렇지 않고는 얼굴에 나타난 변화를 설명할 도리가 없었다. 오그라들어 꿈쩍도 하지 않던 심장이 요란하게 뛰기 시작했다. 동재는 여자를 향해 한 발짝을 뗐다. 꼭 다물고 있던 입을 열며 여자를 불렀다.

"누나……!"

평화여관 2층, 일자로 난 복도를 가운데 두고 객실 여섯 개가 죽 늘어서 있었다. 상호와 어울리지 않게 내부와 외관이 일본식이었다. 왼편 두 번째 세 평 남짓한 다다미방에 마주 앉아 동재는 정란의 이야기를 들었다. 그간의 이야기를 듣는 내내 놀라움을 금치 못했다.

"그러면 주인 영감을 죽인 자가 종로경찰서 사람이란 말이야?"

정란이 고개를 끄덕였다. 핏발이 선 커다란 눈에 열기가 배었다.

"사토라는 사람이야. 종로서 서장이지. 그자가 김정필 선생님을 협박해서 돈을 착복했어. 수요회가 하는 일들을 눈감아 줄 테니 십만 원을 달라고 했지."

"십만 원이나! 어휴, 그 영감쟁이가 아까워서 돈을 안 줬구나?"

"아니, 김 선생님께서는 그자한테 십만 원을 줬어. 안 그러면 수요회 사람들을 모두 잡아들이겠다고 했으니까. 물론 김 선생님도 함께. 깊게 고민하셨지만 그렇게밖에 할 수 없다고 생각하셨지."

"한데 돈을 줬는데 그자가 왜 김 노인을 죽여?"

"올 8월쯤 수요회 조직이 총독부에 발각됐어. 그 전까지는 사토와 그의 부하 몇 명만이 알고 있었지. 그자는 마침내 때가 온 거라고 생각했을 거야. 그래서 자기가 한 일이 들통날까 봐 김 선생님을 살해했어. 독립운동 조직을 눈감아 준 건 그 누구라도 형을 면치 못할 일이니까."

골똘히 이야기를 듣던 동재가 입을 열었다.

"종로경찰서 서장이면 월급이 꽤 많을 텐데, 왜 그리 큰돈을 요구했을까?"

"그야 모르지. 하지만 돈에 대한 욕심은 한도 끝도 없다 하지 않았니. 돈다발을 꿰차고 앉아 있으면서도 돈 욕심을 내는 인간이었을 거야."

동재는 불현듯 귓불이 발개졌다. 정란은 입을 다물고 동재를 잠시 바라보았다. 녀석이 무슨 생각을 하는 걸까. 동재는 하얀 창호지가 붙여진 유리창에 눈길을 둔 채 침묵했다. 창문으로 벌거벗은 나뭇가지 그림자가 비쳤다. 바람에 쉴 새 없이 흔들리는 나무 그림자처럼 동재의 눈이 흔들렸다. 그러나 그 표정만은 말할 수 없이 진지했다. 같이 살면서 단 한 번도 볼 수 없었던 모습이었다. 낯설기 짝이 없는 동재의 모습을 지켜보면서, 정란은 문득 가슴이 뜨거워지는 걸 느꼈다. 김 노인은 미래를 점치듯 남은 사람들에게 하나씩 일을 주고 떠났다. 누군가 수첩의 비밀을 밝혀 주길 간절히 바라면서. 동재에게 그 일을 맡긴 건 그의 혜안이었다. 그사이 동재는 믿어지지 않을 정도로 변했다. 언제나 빈틈이 없는 섬세한 사람이었다.

"김정필 선생님…… 참 좋은 분이었어."

정란은 목이 메어 더 이상 말을 할 수가 없었다. 동재는 눈을 돌려 정란의 얼굴을 살폈다. 무겁게 가라앉은 분위기를 떨쳐 내려는 듯 화제를 돌렸다.

"한데 누나는 어쩌다 그 노인이 하는 일에 끼어들게 됐어?"

"그건 말이야…… 수요일 밤 댄스를 하는 곳이었지. 아그네스 카페라고. 그곳에서 그분들을 만났어. 그렇지만 아그네스는 그냥 유흥을 즐기는 곳이 아니었어. 수요회를 처음 만든 사람이 바로 그곳 여주인이니까. 그분이 김 선생님을 찾아가 함께하자고 한 게 수요회가 만들어진 계기였단다. 하지만 뭐 이제 아그네스도 문을 닫고 말았지."

정란은 입가에 쓸쓸한 웃음을 지었다. 그동안 동재에게 고백할 수 없었던 사실이 새삼 미안해졌다. 동재는 정말이지 어이가 없었다. 수요일 밤이면 정란은 어김없이 늦게 집으로 돌아왔다. 피곤에 찌든 모습이었으나 열에 들뜬 얼굴이 발갛게 달아올라 있었고, 눈빛은 더없이 밝게 빛을 냈다. 그런데 알고 보니 춤은 가짜였다. 재즈, 찰스턴, 왈츠를 추며 모던걸로 치장했으나 상상할 수도 없는 일을 하고 있었던 것이다. 하나밖에 없는 동생을 그토록 애타게 만들면서.

"김 선생님은 그때 늪에 빠진 나를 구해 준 분이었어."

김한영, 그놈 이야기를 하는 거라고, 동재는 생각했다.

"사랑의 부질없음을, 그리고 돈과 명예보다 더 중요한 걸 가르쳐 주셨지. 사람에 대한 기본 도리라고나 할까…… 내가 김 선생님이 하는 일에 기꺼이 동참하게 된 건 그런 이유에서였어."

"그러니까 그게 바로 독립운동 자금을 마련하기 위한 비밀 결사 단체라 그 말이지?"

"쉿! 옆방에서 다 듣겠어!"

정란이 둘째손가락을 입술에 갖다 대며 눈을 치떴다. 그러고는 동재를 뚫어지게 바라보며 호령하듯 말했다.

"어떻게 할래? 상해로 갈래? 아니면 계속 경성에서 건달패한테 쫓기는 신세가 될래?"

동재는 허, 짧은 한숨을 내쉬었다. 정란의 부탁이란 게 바로 김 노인의 돈 가방을 들고 상해로 가서 독립군에게 전해 주는 일이었다. 은행을 믿지 못하는 김 노인의 생전 유언이었다고 하니,

어쩔 수가 없는 일이라고. 동재는 불쑥 부아가 치밀었다. 심부름은 개뿔! 이건 완전히 독립운동이었다. 잡혔다 하면 물고문에다 전기 형틀에 지지는 고문을 당하는 건 말할 것도 없고, 몇 년씩이나 감옥살이를 해야 할 판이다. 어쩐지 망할 영감쟁이가 혀 빼물고 자기를 약 올리는 것만 같았다. 죽은 사람 소원인데 안 들어줘? 동재의 방문을 벌컥 열며 그렇게 외치는 것만 같았다.

"그분이 상해에 갈 사람으로 너를 지목하셨어. 총독부 쪽에서 눈치를 챘으니 다들 위험에 처해 있기도 하거든."

정란이 동재를 지그시 보며 말했다. 동재는 등줄기를 타고 전기가 흐르는 것 같은 기분이 들었다.

"아니 왜 나를……?"

"가까운 곳에서 너를 관찰하셨어. 한집에 사니 늘 보고 계셨던 거지. 너의 하루하루를 모두 다. 그리고 돌아가시기 얼마 전에 우리에게 말씀하셨단다. 그 일에는 네가 적임자라고. 사람에 대한 도리를 아는 녀석이라면서. 네가 김 선생님을 세브란스 병원까지 업고 달려갔다면서? 왜 나한테 말하지 않았니? 선생님께서 네 자랑을 많이 하셨더란다. 녀석이 팥죽 같은 땀을 뚝뚝 떨구면서도 한 번도 쉬지도 않고 달리더라고. 잘만 깎고 다듬으면 옥석이 될 녀석이라고 말씀하셨지. 물론, 나야 그때는 그렇게 생각하지 않았지만."

"이런 망할!"

동재는 미간을 좁혔다. 머릿속에 김 노인의 모습이 떠올랐다. 곶감 하나 던져 준 걸 두고두고 욕했는데 그렇게 칭찬할 줄은 몰랐다. 하긴 그때 동재는 정신이 없었다. 다리에 피를 흘리며 쓰러져 있는 김 노인을 보고 가슴이 철렁해서 다짜고짜 업고 달리는 수밖에 없었다. 김 노인이 죽을까 봐 덜컥 겁이 나서였다. 달리는 내내 드는 생각이라고는 '망할 영감쟁이야, 제발 죽지만 말아!' 하는 거였다.

동재는 가슴이 묵직해지면서 희미한 아픔이 번졌다. 그러나 입에서 나오는 소리는 역시 망할 영감쟁이뿐이었다. 어쩌면 그게 그 두 사람이 관계를 맺는 방식이라도 되는 듯이.

"자, 이제 선택은 네가 하도록 해. 경성에 머물 테야?"

"미쳤어!"

"그럼, 상해로 간다는 거네?"

정란은 한결 여유 있는 표정을 지어 보였다. 팔짱을 끼고 앉아 동재를 향해 미소를 지었다. 그러나 동재로 말하자면 지구 밖으로 통 튕겨 나가고 싶은 심정이었다. 이 현실이 꿈이길 바랐지만 이건 꿈이 아니었다. 그리고 언제나 그렇듯 동재에게 현실은 그리 달콤하지 않았다. 어쨌든 선택할 수밖에 없었다. 경성에 머물 것인가? 아니면 상해로 갈 것인가? 그러고 보니 삶은 늘 선택의 연속이었다.

17

　부산역에서 내린 동재는 주위를 살피며 밖으로 걸어 나왔다. 프록코트에 검은색 인버네스◆까지 걸쳐 입은 차림이었다. 방한을 위해서라기보다는 한껏 멋을 낸 티가 역력했다. 어제 명치정 송옥에서 새로 장만한 양복이었다.

　"큰일 하러 가는데 이 정도는 차려입고 가야 하지 않겠니."

　정란이 동재한테 돈을 쓰면서 이렇게 인심을 쓴 적은 단 한 번도 없었다. 반면에 모처럼 누나가 사 주는 옷을 입으면서 동재는 기분이 몹시 찜찜했다.

◆ 외투 위에 망토처럼 걸쳐 입는 남성복

붉은 벽돌로 지은 부산역 건물을 나와 전차 정류장 쪽으로 걸어갔다. 철도호텔과 공회당을 지나자 전차 정류장이 나왔다. 십분쯤 기다려 전차에 올라탔다.

부산항에 이르자 주위가 어수선했다. 배를 기다리는 사람들이 여기저기 둘러서서 이야기를 나눴고, 이별의 아픔 때문인지 손수건으로 눈가를 찍어 대는 아낙들의 모습이 눈에 띄었다.

동재는 정란이 일러 준 대로 영도상회를 찾았다. 그곳에 가면 돈 가방을 든 사람이 기다리고 있을 거라 했다. 상해를 가는 동안 길잡이 역할을 해 줄 사람이라고.

"아니, 그 사람 혼자 가면 될 걸 왜 애먼 나를 끌어들이냐고!"

동재가 마지막 순간까지 발악하자 정란은 싱긋 웃으며 말했다.

"워낙 당찬 사람이긴 하지만 혼자 가기에는 험난한 길이지. 약간의 위장이 필요해. 남매지간도 좋고, 부부 사이도 좋고. 아무튼 남들 눈에는 그렇게 보이도록 해야 해. 그 사람은 여자야."

"뭐, 여자라고?"

정란이 아무렇지도 않게 고개를 끄덕였다.

"게다가 그 사람이 들고 있는 건 돈 가방이야. 생전에 김 선생님께서 부산 어느 곳에 돈 가방을 보관해 놓았거든. 이십만 원이든 돈 가방이라고. 알겠니?"

동재는 그만 입이 쩍 벌어지고 말았다. 동행할 사람이 여자라는 사실도, 가방에 이십만 원이라는 거금이 들어 있다는 사실도 그저 놀라울 뿐이었다. 경성역에서 경부선 열차에 몸을 실을 때에는 거의 체념하는 심정이 되었다. 될 대로 되라지. 완벽한 궁지에 몰리자 거의 달관하는 지경에 이르렀다.

　바닷가를 따라 자그마한 상점들이 죽 들어서 있었다. 십여 분쯤 걸어가자 영도상회 간판이 보였다. 그리고 그 앞에는 키 작은 여자가 뒷모습을 보이며 서 있었다. 여자는 초록색 벨벳 투피스를 입고, 역시 같은 빛깔의 벨벳 모자를 썼다. 꽤나 신경 쓴 차림이었으나 어딘지 투박해 보였다. 동재는 저절로 미간이 찌푸려졌다. 찜찜한 표정을 감추지 못한 채 여자와 커다란 가방을 차례차례 살펴보았다. 악몽과도 같은 상황이 현실로 드러나자 말할 수 없이 긴장됐다. 잠시 숨을 고르고 난 뒤 영도상회 앞으로 성큼 걸어갔다. 차분해지려고 애를 썼지만 심장이 요란하게 쿵쾅거렸다. 세차게 부는 바닷바람에 인버네스 자락마저 정신없이 휘날렸다.

　영도상회 앞으로 가까이 다가설 때였다. 여자가 뒤돌아서더니 걸어오는 동재를 빤히 바라보았다. 그 순간이었다. 동재는 땅바닥에 붙박인 듯 꼼짝할 수가 없었다. 동그랗게 치켜뜬 눈으로 여자를 응시했다. 별안간 머리가 어질어질하면서 눈앞이 샛노래졌다.

"얼씨구! 멋깨나 부리고 나타났구나!"

유미코였다. 유미코가 특유의 까칠한 말투로 툭 내뱉었다.

"너…… 네, 네가 왜 거기 서 있냐?"

동재는 얼이 빠진 얼굴로 말을 더듬었다.

"정란 언니한테 모두 들은 걸로 아는데?"

"뭐, 정란 언니?"

유미코는 대꾸도 하지 않고 가방을 남겨 둔 채 항구 쪽으로 걸어갔다. 동재는 기겁한 얼굴로 재빨리 가방 쪽으로 달려갔다. 그러고는 총총히 걸어가는 유미코를 바라보았다. 이 상황을 도대체 어떻게 이해해야 할지 알 수가 없었다. 그 와중에도 감쪽같이 자기를 속인 유미코한테 화가 치밀었다. 한성파라 점원 유미코가 왜 여기에 있냐고!

동재는 지난밤 정란의 얼굴이 퍼뜩 떠올랐다. 오누이가 잠자리에 나란히 누워 밤늦도록 이야기를 나누었다. 이야기가 끝나갈 무렵 동재는 어렵사리 정란에게 물었다.

"그 작자는 이제 다 잊은 거야?"

걱정스레 물었는데 정란이 눈에 쌍심지를 켜며 펄쩍 뛰었다.

"그놈은 개쓰레기였어! 흠, 내 눈이 삐어도 단단히 삐었지!"

"뭐, 개, 개쓰레기?"

정란의 입에서 그런 말이 나올 줄은 상상도 하지 못했다. 동재는 고개를 갸웃했다. 그러자 정란이 입에 게거품을 내뿜으며 또다시 악담을 내뱉었다.

"똥물에 쓸어 버릴 인간 같으니라구!"

"뭐어 똥물?"

어디서 많이 듣던 소리라고 생각했다. 그건 바로 유미코한테 듣던 소리였다. 그러니까 우아한 누나가 유미코한테 단단히 물들었다. 도대체 두 사람, 얼마나 자주 만났던 걸까······.

저 멀리서 뱃고동 소리가 울려 퍼졌다. 흰 구름 같은 증기를 뿜어내며 연락선이 다가왔다. 사람들이 분주하게 움직이기 시작했다.

어느덧 삼천 톤 급의 거대한 배가 항구에 다다랐다. 동재는 주눅 든 얼굴로 사람들을 따라 연락선 위로 올라갔다. 곁으로 유미코가 다가왔다. 유미코는 웬일로 동재를 보고 해맑게 웃었다. 그런 모습을 단 한 번도 본 적이 없었기에 동재는 지난밤처럼 고개를 갸우뚱했다. 하지만 생각해 보니 유미코에게서는 언제나 빛이 났다. 삶의 지표를 가슴 깊이 품고 있어서일 것이다. 그 누구에게도 말할 수 없는 원대한 계획이 있었기에. 그녀의 모습이 문득 정란을 닮았다는 생각이 들었다. 딱히 뭐라고 말할 수 없지만 아주 많은 부분을…….

마침내 연락선이 뱃고동 소리를 내며 출항하기 시작했다. 스르르 몸체를 틀며 달리는 뱃머리에 올라 동재는 시퍼렇게 일렁이는 바닷물을 내려다보았다. 배는 하얀 포말을 일으키며 수평선을 향해 끊임없이 달렸다. 조금 있자 어디선가 음악 소리가 흘러나왔다. 물의 흐름을 노래한 곡일까. 관현악 협주곡의 음색이 동재에게는 꼭 그렇게 느껴졌다.

물살이 빨라졌다. 아울러 음악 소리가 쾅쾅쾅 크게 울려 퍼질 때였다. 조금 떨어진 곳에서 사람들이 떠드는 소리가 들렸다.

"오늘 아침 신문을 보니까, 종로경찰서 박진한이라는 형사가 같은 서에 있는 서장을 경성법원에 고소했다는군."

"저런, 경찰이 경찰을 고소한 거잖소! 대체 무슨 일로 그리했다오?"

"아, 글쎄 일전에 금광 재벌 김정필이라는 사람이 살해당하지 않았소. 한데 그 사람을 죽인 이가 바로 종로서 서장이라 하지 않겠소. 자세히는 모르겠으나, 어마어마한 돈을 뜯어내고는 들킬 것 같아 그런 짓을 저질렀다는구먼. 아무튼 그 형사가 비장의 카드를 쥐고 있다니, 그자는 옴짝달싹 못 할 거라는군. 한마디로 경찰의 비리지. 아주 썩어 빠진 작자야."

동재는 떨리는 가슴을 누르며 난간에서 몸을 뗐다. 문득 강 형사의 소식이 궁금해졌다. 그토록 애타게 찾았으나 그는 끝내 모습을 보이지 않았다. 도대체 강 형사는 어디로 사라져 버린 걸까……. 언제나 우직했던 그를 떠올리며 동재는 사람들 곁으로 슬쩍 다가섰다.

"한데 그 사람, 간도 크구먼! 일을 크게 벌린 게야. 까닥하다간 죽게 생겼어. 안 그렇소?"

양복 차림에 중절모를 쓴 키 큰 남자가 혀를 쯧쯧 찼다.

"에잇, 함부로 못 죽이지요. 기자회견이란 걸 해서 이미 낱낱이 까발렸는데, 죽이진 못하지. 안 그랬으면 쥐도 새도 모르게 어떻게 했을지 모르겠지만. 이제 서장 아니라 천하의 총독부라도 그자의 손가락 하나 못 건드려요, 암!"

키가 작고 다부진 몸을 한 남자가 장담했다.

"그 사람, 여하튼 영리하고 정의로운 사람일세그려. 아무나 그렇게까지는 못하지 않겠소. 참말 기특한 사람이야."

"그놈의 총독부란 것들이 어지간히 조선인들을 주물러 대야 말이지요. 잘못하다간 제이의 삼일운동이 일어날 판이라고요. 그나저나 종로서 박 형사라는 사람, 고생이 말도 못 하겠구먼……."

동재는 지난밤에 찾아온 박 형사의 눈빛이 떠올랐다. 그러자 날카로운 물체가 후벼파듯 가슴이 아렸다. 박 형사는 뭔가 이야기를 하고 싶었던 것이다. 불빛을 받아 번들거리는 두 눈이 그렇게 말하고 있었다. 이제 어떻게 하면 좋겠니? 그는 누군가를 붙잡고 이야기하고 싶었을 것이다. 고독한 투쟁 앞에서 너무나 불안했을 테니까.

다시금 그 음악 소리가 동재의 귓속으로 흘러 들어왔다. 분명히 물의 흐름이었다. 누군가 이 세상에서 가장 아름답다고 생각하는 강물을 보면서 만들어 낸 곡일지도 모른다.

"뭐 하나?"

선실에서 꼼짝 않던 유미코가 어느 결에 나왔는지 다가와 말을 걸었다. 동재는 음악이 흘러나오는 곳을 턱으로 가리키며 말했다.

"음악 소리 한번 참 좋다. 클라식은 역시 베토벤이 최고야!"

"바보. 베토벤밖에 모르는구나!"

동재는 허를 찔린 듯 멍하니 유미코를 바라보았다.

"스메타나야. 그의 교향시 「나의 조국」 중에서 2악장 「몰다우 강」이라고."

유미코가 야무지게 말했다.

"뭐, 멀다우 강?"

"어휴, 멀다우가 아니라 몰다우라고! 체코의 작곡가 스메타나가 자신의 조국 몰다우강에 바치는 시와 같은 음악이야."

유미코의 똑 부러진 해설 속에서도 음악은 흐르고 또 흘렀다. 동재는 아무려면 어떨까 싶었다. 베토벤이든 스메타나든 솔직히 알 바 아니었다. 가슴으로 끊임없이 스며드는 음악을 들으며 정란의 모습을 떠올렸다. 하나 둘 셋……. 둘둘 셋……. 물방울무늬 원피스 자락을 날리며 왈츠를 연습하던 누나의 모습을. 그리고 물의 흐름처럼 자연스럽게, 정란의 모습 위로 김 노인의 얼굴이 떠올랐다.

"야, 이눔아, 내가 너만 할 적에는 하루에도 오십 리를 넘게 걸었어. 그것도 나무 지겟짐을 지고 말이여. 그 시퍼런 나이에 뭘 못해! 나야 이제 늙고 쭈그러져서 꼼짝도 못 허지만!"

모든 소음을 뚫고 김 노인의 카랑카랑한 목소리가 들려왔다. 귓속에서 울려 퍼지는 그 소리를 들으며 동재는 가슴이 뭉클했다. 눈물 어린 눈으로 저 너머 수평선을 내다보았다. 정말이지 광활하기 그지없는 광경이었다. 세상은 이렇게 넓고 넓은 거였다. 동재는 숨을 길게 내쉬었다. 막막하던 가슴이 뚫리면서 조금씩 기운이 나는 것 같았다.

이제 음악은 절정으로 치달았다. 몰다우강의 물결이 크게 일렁거렸다. 그 격정적인 소리가 동재에게 용기를 주었는지도 모른다. 동재는 그동안 쑥스러워 꺼낼 수 없었던 말을 소리 내어 외쳤다.

"망할 영감쟁이, 돈 한번 잘 쓰고 떠나셨구먼!"

그러자 눈앞으로 김 노인의 모습이 선명하게 그려졌다.

햇살 좋은 어느 날, 김 노인은 대청마루 끝에 나앉아 곰방대 담배를 피우고 있었다. 무슨 생각을 그리 열심히 하는지 동재가 마당에서 서성거려도 알지 못하는 눈치였다. 김 노인의 얼굴은 행복해서 천진해 보일 정도였다. 무슨 생각을 하고 있었을까……. 지금도 알 수 없지만, 어쩐 일인지 그가 남긴 그 모습은 오래도록 머릿속에서 떠나지 않았다.

내가 가장 좋아하는 시공간은 1930년대 서울이다. 경성으로 불렸던 1930년대 서울을 좋아해서 그 시대 모습이 남아 있는 거리를 종종 걷곤 한다. 지금은 서울도서관이 된 서울시청 건물을 지나 얼마쯤 걸으면 명동이 나온다. 번화한 명동 거리를 내다보고 있으면 나는 언제나 가슴이 뛰었다.

어릴 적 처음 가 본 명동은 그야말로 충격적이었다. 너무나 고급스럽고 화려해서 고개를 들 수가 없을 정도였다. 그 낯선 거리를 보며 단번에 주눅이 들었다. 그러나 내 심장 한쪽에서는 어떤 욕망이 들끓고 있었다. 그 욕망이 뭔지 잘 몰랐는데 이 글을 구상하면서 깨닫게 됐다. 대단한 부자가 되고 싶다는 욕망이었다.

그러고 보니 이 글은 어릴 적 나의 내면에서 속살거리고 있던 욕망에 대해 쓴 작품이다. 꿈이 좀 더 고상했다면 얼마나 좋을까. 아니면 아이돌 이라든가 영화배우 같은 멋진 직업도 있지 않은가. 그런데 고작 돈이라니. 부자가 되고 싶었으면서 작가가 된 건 또 무슨 아이러니한 일인지 모르겠다.

어쨌든 돈은 언제나 필요했고, 많은 돈이면 더 좋을 것 같고, 돈만큼 좋은 게 없다고 생각하던 시절이 있었다. 그래서 언젠가 끔찍하게 돈을 좋아하는 청소년에 대해 써 보자고 마음을 먹었다. 가능하면 내면의 욕망을 마주하게 해 준 명동 거리가 주요 배경이면 좋을 것 같았다.

이 글을 구상하면서 명동 거리를 자주 다녀왔다. 신세계백화점이 마주 보이는 서울중앙우체국 출입문 앞에는 드문드문 대리석이 놓여 있다. 주차금지를 뜻하는 대리석에 앉아 맞은편 백화점을 가만히 바라보곤 했다. 눈앞에 신세계 측에서 복원한 1930년대 백화점 건물이 들어서 있었다. 복원된 미쓰코시백화점을 바라보는 일은 정말로 감동이었다. 나를 온전히 1930년대로 빠져들게 만들었다. 미쓰코시백화점을 한없이 바라보며 나는 이야기를 만들어 갔다.

그런데 그 암울한 시대에 저렇게 빛나는 건물이라니. 대다수가 가난했던 그 시절, 저곳에 들어가 물건을 사는 사람들은 누굴까 궁금했다. 또 판매 직원들은 어떤 모습을 하고 있으며 가족 배경은 어떠할까 상상했다. 그런 생각이 들자, 그 시대 이 거리를 걸어 다니던 사람들의 모습이 구체적으로 그려졌다. 그래, 쓸 수 있겠다. 가슴이 벅차올라 재빨리 집으로 돌아와 플롯을 짜기 시작했다.

1930년대 경성을 현재의 청소년 독자들에게 어떻게 보여 줘야 할지 고민이 많았다. 때마침 주식과 암호화폐와 뛰는 집값에 대한 뉴스가 쏟아지기 시작했다. 1930년대 후반 경성과 현재를 살아가는 사람들에게서 발견한 씁쓸한 공통분모였다. 그리고 고민 끝에 작품의 방향을 잡았다. 일제강점기, 자본주의 경제와 문화가 물밀듯 몰려오던 시절, 그 혼란스럽고 씁쓸한 시간 속에서도 활기차게 움직이는 젊은 사람들의 이야기를 쓰기로 했다. 돈에 대한 열망 때문에 숱하게 깨지지만, 그 열망을 선하게 풀어나가는 열일곱 살 청년이 머릿속에서 완성됐다. 역사와 추리와 스릴러 장르에 흥미를 가지고 있다. 세 장르를 버무리며 남들과 다르게 써야 한다는 약간의 압박감을 즐기며 썼던 기억이 떠오른다.

아무쪼록 독자들이 재미있게 읽어 주길 바란다. 책을 읽고 감동 받을 수 있다면 작가로서 바랄 게 없을 것 같다.

작품을 읽고 심사해 주신 김지은 선생님, 이현 선생님께 감사드린다. 작품을 빛나게 해 주셔서 정말 너무나 감사하다. 또한 100명의 청소년 심사 위원단 여러분께도 무한한 감사를 드린다. 내 모든 글을 읽고 평해 준 분들이 곁에 있어 행복하기 그지없다. 그들과 함께 글쓰기의 고통과 기쁨을 나누며 계속 글을 쓰고 있다. 마지막으로 설레는 마음으로 이런 글을 쓸 수 있게 해 주신 비룡소 출판사에 감사드린다. 원고를 손보느라 고생한 장은혜 편집자님께도 감사의 인사를 드린다.

하은경

청소년 심사위원단의 심사평 중에서

돈과 함께 이리저리 놀아나는 소용돌이 하나를 본 것 같다. 모든 것이 예측불허한 소용돌이 속에서 작가는 인물의 감정과 말투, 상황을 맛깔나게 표현하였다.
- 중문중학교 2학년 조하선

각 소설의 에피소드마다 밝혀지는 이야기들이 독자에게 충격과 때론 공포와 전율을 느끼게 한다.
- 성리중학교 1학년 김소현

작가는 캐릭터의 개성을 끝까지 놓지 않고 어떨 때는 비참한, 어떨 때는 코믹한, 어떨 때는 마음 따뜻한 감동을 느끼게 했다.
- 고양화정중학교 1학년 유승주

디테일에 상당히 공을 들인 작품. 마치 내가 일제강점기 경성에 서 있는 것 같은 느낌이 들게 한다.
- 별무리고등학교 3학년 남에스더

김 노인 살인 사건과 누나의 실종. 사건을 따라가다 보니 어느새 난 작품 속 등장인물이 되어 사건을 함께 쫓고 있었다. 무슨 책을 읽어야 할지 모르는 친구들에게 눈을 뗄 수 없는 이 작품을 추천한다!
- 울산옥동중학교 3학년 하가진

긴장감과 긴박함, 달콤함과 쓸쓸함을 전부 담은 책이다. 초반의 긴장감이 뒤로 갈수록 물씬 짙어져 마치 안개처럼 날 점점 빠져들게 하였다.
- 현암중학교 1학년 이다은

시작과 끝맺음이 모두 완벽한 책! 마치 영화 한 편을 본 것처럼 몰입감
이 훌륭했다. 읽는 내내 끝까지 긴장을 늦출 수 없어 타임머신을 탄듯
빠르게 일제강점기의 배경으로 휩쓸렸다.
- 전주서신중학교 2학년 박주영

예스러운 문제와 완벽한 고증은 마치 내가 1930년대의 경성에서 주인공
들을 관찰하고 있는 것처럼 느끼게 해 준다. 또 신선한 소재와 속도감
있는 전개 덕에 처음부터 끝까지 몰입해서 읽을 수 있었다.
- 인천초은고등학교 1학년 김지우

역사를 싫어하는 나에게 책 속으로 몰입할 수 있도록 만들어 준 책이다.
익숙한 전개이면서도 마지막 반전으로 놀라운 결과가 나를 슬프지만 안
도감도 들게 만들어 주었다.
- 백신중학교 2학년 홍지우

평범하지 않은 사연을 가진 인물들은 이야기가 진행될수록 반전에 반전
을 빚어냈고, 결국 우리가 해야 하는 일은 그 짜릿한 전개에 몸을 담그
는 것뿐이었다. 한마디로 이 소설은 세상에 나오지 않기에 너무 아깝다.
- 봉은중학교 2학년 이지안

아주 가끔 그런 책이 있다. 한번 읽기 시작하면 손에서 놓을 수가 없고,
다 읽고 나서도 계속 기억에 남고, 친구들에게 추천해 주고 싶은 책. 이
책이 바로 그런 책이다.
- 박지민 (초당중학교 1학년)

틴 스토리킹 청소년 심사위원 모집이 궁금하다면 비룡소 홈페이지 bir.co.kr을 참조해
주세요.

전국의 중고등학생들이 직접 뽑은 청소년 문학상
제2회 틴 스토리킹 심사위원을 소개합니다.

강경완	천안월봉중학교 2학년	김태인	서울대학교사범대학부설중학교 2학년
강병서	세광중학교 3학년	남에스더	별무리고등학교 3학년
강시원	홈스쿨링	노승혁	송례중학교 3학년
강지환	대구영남중학교 1학년	노현지	서울광남중학교 1학년
고강민	신도림중학교 2학년	박서희	길음중학교 1학년
고건	영암삼호고등학교 2학년	박선우	대전하기중학교 2학년
고시윤	경원중학교 2학년	박주영	전주서신중학교 2학년
고우리	강진청람중학교 3학년	박중수	연무중학교 1학년
김가연	신가중학교 1학년	박지민	초당중학교 1학년
김민경	대구신기중학교 2학년	박지혜	이현중학교 2학년
김민경	여천중학교 2학년	박지호	송정중학교 1학년
김민영	상현중학교 3학년	박채영	대전노은중학교 2학년
김소민	감계중학교 2학년	방채원	서울양진중학교 1학년
김소현	성리중학교 1학년	백주은	가재울중학교 1학년
김수민	역곡중학교 3학년	서무현	제일고등학교 3학년
김승환	금릉중학교 1학년	서범근	제일고등학교 3학년
김시연	김포한가람중학교 2학년	서예진	부원여자중학교 1학년
김유빈	별무리학교 1학년	서윤하	온양한올중학교 2학년
김주희	양산여자중학교 1학년	서정인	백운중학교 1학년
김지민	서울여자상업고등학교 1학년	서한별	송정여자중학교 3학년
김지우	인천초은고등학교 1학년	성수연	일동중학교 2학년
김지유	옥천여자중학교 2학년	성유찬	옥길중학교 3학년
김채원	배방고등학교 1학년	성준경	옥길중학교 3학년
김태림	운중중학교 1학년	성홍경	정명고등학교 1학년

손주리	세화고등학교 3학년	이지훈	서울대학교사범대학부설중학교 2학년
심미소야	청주금천중학교 3학년	이하민	서울 오산중학교 2학년
안유진	독수리기독중고등학교 중학교 1학년	이현민	서울 오산중학교 1학년
오슬찬	동성중학교 1학년	이혜린	손곡중학교 1학년
유승주	고양화정중학교 1학년	이혜주	화수중학교 2학년
유혜윤	서현중학교 2학년	이희진	도원중학교 2학년
윤석훈	천호중학교 3학년	임수진	동진여자중학교 2학년
이다은	현암중학교 1학년	임현	충남여자중학교 1학년
이도윤	이야기학교 1학년	장세빈	감계중학교 2학년
이민정	인천청라중학교 3학년	장세음	이야기학교 1학년
이부은	대신여자중학교 2학년	정윤아	대화중학교 1학년
이서윤	이현중학교 2학년	정채린	새로남기독고등학교 1학년
이세영	동수원중학교 3학년	조하선	중문중학교 2학년
이슬	은성중학교 1학년	조희주	문시중학교 2학년
이아진	은가람중학교 1학년	최시온	이야기학교 1학년
이영찬	이야기학교 1학년	최윤호	서울대학교사범부설중학교 2학년
이예린	대전전민고등학교 1학년	최정빈	숭의여자중학교 1학년
이예빈	동명여자고등학교 3학년	하가진	울산 옥동중학교 3학년
이윤정	인주중학교 3학년	한가현	목포 중앙여자중학교 3학년
이은율	백운중학교 2학년	한산	대원국제중학교 2학년
이준서	의왕부곡중학교 1학년	허정은	양주백석중학교 1학년
이준우	장흥중학교 1학년	홍민성	인천예송중학교 3학년
이지안	봉은중학교 2학년	홍유진	은여울중학교 2학년
이지윤	안동여자고등학교 2학년	홍지우	백신중학교 2학년
이지효	양청중학교 3학년	황현아	송린중학교 2학년

* 하슬라중학교 변OO 님, 은여울중학교 강OO 님은 개인 사정으로 심사를 중도 포기하셨음을 알려드립니다.

* 청소년 심사위원들의 학년 및 학교명은 심사가 이루어진 2021학년도 기준입니다.

하은경

장편동화 『안녕, 스퐁나무』로 문학동네 어린이문학상을 받으며 작가의 길로 들어섰다. 깜짝 놀랄 만큼 재미난 이야기를 지어내기 위해 늘 고민 중이다. 그동안 쓴 책으로 『나는 조선의 가수』, 『백산의 책』, 『마지막 책을 가진 아이』, 『추리왕 강세리』, 『옆집의 방화범』 등이 있다. 『황금열광』으로 제2회 틴 스토리킹 상을 받았다.

황금열광

1판 1쇄 펴냄   2022년 3월 25일
1판 3쇄 펴냄   2022년 12월 9일

지은이 하은경
펴낸이 박상희
편집주간 박지은
편집 장은혜
디자인 어나더페이퍼
표지 그림 신은경
펴낸곳 (주)비룡소
출판등록 1994년 3월 17일 제16-849호
주소 06027 서울시 강남구 도산대로1길 62 강남출판문화센터 4층
전화 영업 02)515-2000 편집 02)3443-4318,9 팩스 02)515-2007
홈페이지 www.bir.co.kr
제품명 어린이용 각양장 도서 제조자명 (주)비룡소 제조국명 대한민국 사용연령 3세 이상

ISBN 978-89-491-3701-8 43810